Sommaire

Sommaire

Chrétien de Troyes

Lancelot
ou
le Chevalier
de la Charrette

Traduction de
Daniel Poirion

Dossier et notes réalisés par
Virginie Barrabès

Lecture d'image par
Isabelle Varloteaux

folio plus
classiques

Virginie Barrabès, titulaire d'un DEA de littérature médiévale, enseigne en collège les lettres et le cinéma. Chez Gallimard elle a établi l'accompagnement pédagogique du *Chevalier au lion* de Chrétien de Troyes («Folioplus classiques», n° 2).

Historienne d'art et documentaliste, **Isabelle Varloteaux** s'est vu confier la mission de créer et d'organiser au musée de Grenoble un centre de documentation des collections, devenu aujourd'hui très performant. Parallèlement, elle collabore à plusieurs ouvrages collectifs tels que des catalogues ou des dictionnaires artistiques sur la période contemporaine. Son engagement dans la vie des collections l'a poussée récemment à délaisser le champ documentaire pour s'investir dans l'organisation de nombreuses expositions. Elle est actuellement responsable du service des collections au musée de Grenoble.

*Lancelot
ou
le Chevalier
de la Charrette*

Lancelot
ou
le Chevalier
de la Charrette

Puisque ma dame de Champagne[1] veut que j'entreprenne la composition d'un roman, je l'entreprendrai très volontiers en homme qui se met totalement à son service pour tout ce qu'il peut faire en ce monde, sans se risquer à la moindre flatterie. Tel autre aurait pu s'en charger avec l'intention d'y glisser un compliment flatteur. Il aurait dit — et j'en pourrais témoigner — que c'est la dame qui surpasse toutes celles qui sont en vie, comme passe tous les autres vents le fœhn qui vente en mai ou en avril. Ma foi, je ne suis pas homme à vouloir flatter ma dame. Dirai-je : « De même qu'une pierre précieuse vaut tant de perles et de sardoines[2], la comtesse vaut tant de reines ? » Non, bien sûr, je ne dirai rien de tel, et pourtant c'est la vérité, malgré que j'en aie. Mais je me contenterai de dire que ses directives ont plus d'effet sur cette œuvre que toute la réflexion et la peine que j'y peux consacrer. C'est *Le Chevalier de la Charrette* dont Chrétien commence le livre. La matière et l'idée directrice lui ont été indiquées et données par la comtesse ;

---

1. Il s'agit de la comtesse Marie de Champagne, fille d'Aliénor d'Aquitaine et de Louis VII. Elle fut une des protectrices de Chrétien de Troyes.
2. Pierres fines de couleur brunâtre.

quant à lui il se charge de la mise en forme, sans rien apporter de plus que son travail et son application.

Et il raconte qu'à une fête de l'Ascension[1] le roi avait réuni sa cour avec tout le faste élégant qu'il aimait, faste bien digne d'un roi! Après manger il ne quitta pas la compagnie de ses barons[2] qui étaient nombreux dans la salle, où se trouvait aussi la reine. Il y avait là, j'imagine, mainte belle dame courtoise sachant bien s'exprimer en langue française. Keu[3], qui présidait au service des tables, mangeait avec les officiers qui avaient assuré ce service. Et alors qu'il était encore assis pour manger, voilà que fit irruption à la cour un chevalier très bien équipé, et armé de pied en cap[4]. Le chevalier s'avança dans cet équipage juste devant le roi, là où il était assis au milieu de ses barons, et sans le saluer il lui dit: «Roi Arthur, j'ai dans mes prisons des gens de ta terre et de ta maison, chevaliers, dames et jeunes filles. Mais je ne t'en donne pas de nouvelles avec l'intention de te les rendre. Je veux au contraire te dire et te faire savoir que tu n'as ni forces ni richesses suffisantes pour les ravoir. Sache bien que tu mourras sans avoir pu les secourir.» Le roi répondit qu'il lui fallait bien s'en accommoder s'il ne pouvait y remédier, mais il en était très accablé. Alors le chevalier fit mine de s'en aller; il fit demi-tour, sans s'attarder devant le roi, et vint jusqu'à la porte de la salle. Mais au lieu de descendre les marches, il s'arrêta pour lancer de là ces paroles: «Roi, s'il se trouve un seul chevalier à ta cour

---

1. Fête religieuse qui célèbre l'élévation miraculeuse de Jésus-Christ dans le ciel, quarante jours après sa résurrection. Dans le roman arthurien, comme la Pentecôte, elle est l'occasion d'un grand rassemblement à la cour et de réjouissances.

2. Grands seigneurs du royaume.

3. Sénéchal du roi Arthur. Il s'occupe de l'intendance. Personnage présomptueux et provocateur.

4. Des pieds à la tête.

auquel tu te fierais assez pour oser lui confier la responsa-
bilité de conduire la reine à ma suite dans ce bois où je vais
me rendre, je l'y attendrai, et je te promets de te remettre
tous les prisonniers retenus sur ma terre si ce chevalier
peut gagner sur moi la bataille dont elle sera l'enjeu, et faire
en sorte qu'il te la ramène. » Ils furent nombreux dans le
palais à entendre ces paroles, et la cour en fut tout agitée.
La nouvelle en arriva à Keu qui mangeait avec le personnel
de service. Il quitta la table, vint tout droit au roi et il se mit
à lui dire, avec tous les signes de la fureur : « Roi, je t'ai servi
bien longtemps, très fidèlement et loyalement. Mais maintenant je prends congé de toi, et je m'en irai pour ne plus
jamais te servir : je n'ai plus ni la volonté ni l'envie d'être à
ton service, à partir de maintenant. » Le roi est accablé par
ce qu'il vient d'entendre, mais dès qu'il retrouve assez d'esprit pour lui répondre, il lui demande brusquement : « Vous
êtes sérieux ou vous plaisantez ? — Beau sire roi, répond
Keu, je n'ai pas envie de plaisanter en ce moment, mais je
prends congé, c'est clair. Je ne vous demande ni récompense ni rétribution pour mon service chez vous. C'est bien
décidé ; je pars sans plus tarder. — Êtes-vous en colère ou
contrarié, que vous vouliez partir ? Sénéchal, comme il
serait normal de votre part, restez à la cour, et sachez bien
que je n'ai rien en ce monde que, pour vous garder, je ne
sois prêt à vous accorder sans tergiverser. — Sire, dit-il,
vous perdez votre temps : je n'accepterais même pas contre
un setier d'or fin par jour. » Voilà le roi désespéré ; il est
allé trouver la reine : « Dame, fait-il, vous ne savez pas ce
que le sénéchal me demande ? Il me demande congé et dit
qu'il ne restera plus à la cour, je ne sais pourquoi. Mais ce
qu'il ne veut pas faire pour moi, il s'empressera de le faire
pour vous si vous l'en priez. Allez le trouver, ma dame, chère
épouse ; puisqu'il ne daigne pas rester pour moi, priez-le de
rester pour vous, et jetez-vous plutôt à ses pieds, pour que

je ne perde pas à jamais la joie en perdant sa compagnie.»
Le roi envoie la reine auprès du sénéchal, et elle va le
rejoindre. Elle le trouva au milieu des autres et, une fois
arrivée devant lui, elle lui dit: «Keu, je suis très fâchée, je
vous le dis tout de suite, de ce que j'ai entendu dire de
vous. On m'a raconté, et cela me chagrine, que vous voulez
quitter le roi. D'où vous vient cette idée, qu'avez-vous sur
le cœur? Je ne vous trouve plus du tout sage, ni courtois,
comme c'était le cas. Je veux vous prier de rester. Restez,
Keu, je vous en prie! — Dame, répond-il, excusez-moi,
mais je ne resterai pas.» Alors la reine le supplie encore,
accompagnée de tous les chevaliers en chœur, mais Keu lui
dit qu'elle se fatigue en pure perte. Alors la reine se laisse
tomber à ses pieds de toute sa hauteur. Keu la prie de se
relever; mais elle dit qu'elle ne le fera pas avant qu'il ne lui
accorde ce qu'elle veut. Alors Keu lui promet de rester, à
condition que le roi lui accorde d'avance ce qu'il voudra, et
qu'elle-même en fasse autant. «Keu, fait-elle, quelle que
soit votre idée, moi et lui nous en serons d'accord; venez
donc, et nous lui dirons que vous êtes resté à cette condition.» Keu et la reine vont trouver le roi: «Sire, dit la
reine, j'ai retenu Keu, non sans mal; mais je vous le remets
à une condition, c'est que vous ferez ce qu'il dira.» Le roi
pousse un soupir de satisfaction et dit qu'il se soumettra à
sa volonté, quoi qu'il lui demande. «Sire, répond-il, sachez
donc ce que je veux, et la nature du don que vous m'avez
promis. Je trouve que j'ai beaucoup de chance puisque je
l'aurai grâce à vous: c'est la reine ici présente dont vous
m'avez confié la protection. Nous irons donc à la recherche
du chevalier qui nous attend dans la forêt.» Le roi en est
affligé [1], et pourtant il l'investit de cette mission, car jamais

---

1. Triste, chagriné, peiné.

il ne revient sur ce qu'il a promis, mais il le fait avec tristesse et douleur, comme on peut bien le voir à sa mine. La reine aussi est très affligée, et tout le monde au palais convient que c'est l'orgueil, la présomption et la déraison qui ont inspiré à Keu cette demande en forme de requête. Le roi a pris la reine par la main, et il lui a dit : « Dame, sans conteste il faut vous en aller avec Keu. — Allons, confiez-la-moi, dit Keu, et ne craignez rien, car je saurai bien vous la ramener saine et sauve. » Le roi la lui remet et l'autre l'emmène. Derrière eux, tous sortent du palais. Sachez aussi que l'on eut vite fait d'armer le sénéchal, et de lui amener son cheval au milieu de la cour, avec, à côté de lui, un palefroi[1] convenant à une reine. La reine vient à son palefroi bien docile et ne tirant pas sur la bride ; très abattue, triste et poussant des soupirs, la reine monte à cheval, puis elle dit tout bas, pour qu'on ne l'entende pas : « Ah ! ami, si vous saviez, jamais vous ne me laisseriez, je crois, sans résistance faire un seul pas sous la conduite de Keu. » Elle pensa l'avoir dit tout bas, mais le comte Guinables l'entendit, car il se trouvait près d'elle quand elle monta en selle. Au moment du départ, ce ne furent que lamentations de tous ceux et de toutes celles qui y assistèrent, comme si elle avait été mise en bière. Ils ne pensent pas qu'elle doive jamais revenir de leur vivant. Le sénéchal, mû par son orgueil, l'emmenait là où l'autre l'attendait. Mais nul ne s'affligeait assez pour se mêler de les suivre quand monseigneur Gauvain dit au roi son oncle, en confidence : « Sire, vous avez agi bien naïvement, et j'en suis très étonné ; mais, si vous acceptiez mon conseil, pendant qu'ils sont encore assez près, vous et moi nous pourrions les suivre, avec tous ceux qui voudraient bien venir. Je ne saurais m'empêcher

---

1. Cheval de marche, de parade, de cérémonie.

d'aller à leur recherche immédiatement. Il ne serait pas convenable de ne pas aller à leur suite, au moins jusqu'à ce que nous sachions ce que la reine va devenir, et comment Keu s'en sortira. — Allons-y, beau neveu, fait le roi. Vous avez parlé fort courtoisement et, puisque vous avez pris l'initiative, donnez l'ordre que l'on sorte les chevaux, qu'on leur mette brides et selles, de sorte qu'il n'y ait plus qu'à monter.» Les chevaux sont bientôt amenés, harnachés et sellés. Le roi monte le premier, puis monseigneur Gauvain et tous les autres à qui mieux mieux. Chacun veut être de la partie, mais en allant à sa guise. Il y en avait qui étaient armés, mais beaucoup allaient sans armes. Monseigneur Gauvain, lui, était armé, et il avait aussi pris deux écuyers pour conduire par la bride deux destriers[1]. Alors qu'ils approchaient de la forêt, ils en voient surgir le cheval de Keu, ils l'ont bien reconnu, et ils remarquent que les rênes ont été toutes deux tranchées de la bride. Le cheval revenait tout seul, avec l'étrivière toute tachée de sang; et la selle avait son arçon de derrière tout brisé et déchiqueté. Il n'est personne qui n'en soit attristé, on échange des hochements de tête, on se pousse du coude. Monseigneur Gauvain chevauchait loin en avant du gros de la troupe. Il ne tarda guère à voir venir un chevalier au pas, sur un cheval mal en point, harassé, haletant et baigné de sueur. Le chevalier salua monseigneur Gauvain le premier, et celui-ci lui rendit son salut. Alors le chevalier s'arrêta, et reconnaissant monseigneur Gauvain il lui dit: «Seigneur, ne voyez-vous pas que mon cheval est trempé de sueur et qu'on ne peut plus rien en tirer? Or je pense que ces deux destriers sont à vous; je vous prierais donc, en m'engageant à vous rendre le service et à vous en récompenser, de me prêter

---

1. Chevaux de bataille.

ou de me donner l'un des deux, n'importe lequel. — Choisissez donc, lui répondit-il, entre les deux, selon votre préférence. » Mais lui, qui en avait grand besoin, ne prit pas le temps de chercher le meilleur, ni le plus beau, ni le plus grand, il monta tout de suite sur celui qu'il trouva le plus près de lui, et il le mit aussitôt au galop. Quant au cheval qu'il venait de quitter, il s'écroula, mort, car il l'avait toute la journée fort éprouvé, fatigué, et surmené. Sans jamais s'arrêter le chevalier s'en alla tout armé dans la forêt, et monseigneur Gauvain le suivit à distance en une furieuse poursuite. Arrivé sur une hauteur, il descendit la pente, et après une longue traite il retrouva mort le destrier qu'il avait donné au chevalier. Il y avait là des traces d'un intense piétinement de chevaux, et des débris d'écus et de lances alentour ; on avait bien l'impression que plusieurs chevaliers y avaient pris part à une grande bataille. Il fut très contrarié et mécontent de ne pas avoir été là. Il ne s'est pas arrêté longtemps, mais il reprit sa route à vive allure jusqu'au moment où il put par aventure apercevoir le chevalier, tout seul, à pied, tout armé, le heaume lacé, l'écu au col, l'épée au côté ; il venait de rejoindre une charrette[1]. On se servait alors des charrettes comme aujourd'hui on se sert des piloris[2], et dans chaque bonne ville où l'on en compte maintenant trois mille, il n'y en avait qu'une en ce temps-là, et elle était utilisée également, comme aujourd'hui le pilori, pour les gens convaincus de meurtre ou de vol, pour ceux qui avaient perdu un combat judiciaire, pour les brigands et voleurs de grand chemin : tout repris de justice était placé

---

1. Monter dans la charrette est une punition infamante. C'est par ce moyen qu'étaient transportés au Moyen Âge les individus coupables de forfaits divers et les condamnés à mort exécutés en public.

2. Poteaux ou piliers à plate-forme portant une roue sur laquelle on attachait le condamné à l'exposition publique.

sur la charrette et promené par toutes les rues ; dès lors il était déshonoré, interdit d'audience à la cour, et privé de toute marque d'estime et de sympathie. Parce que les charrettes de ce temps-là étaient ainsi terriblement mal famées, on commença à dire : « Quand charrette verras et rencontreras, signe-toi et souviens-toi de Dieu, de peur qu'il ne t'arrive malheur. » Le chevalier qui s'avançait à pied et sans lance rejoignit la charrette où il aperçut un nain assis sur le brancard. Il tenait à la main, en bon charretier, une longue baguette. Alors le chevalier dit au nain. « Nain, pour Dieu, dis-moi donc si tu as vu passer par ici ma dame la reine. » Le nain — une sale engeance[1] ! —, le misérable, refusa de lui en donner des nouvelles. « Si tu veux, dit-il, monter sur la charrette que je conduis, tu pourras savoir d'ici demain ce qu'est devenue la reine. » Sur le moment, le chevalier a poursuivi sa route sans y monter ; il a eu tort, tort d'avoir honte et de ne pas aussitôt sauter dans la charrette, car il le regrettera un jour. Mais Raison, qui s'oppose à Amour, lui dit de ne pas monter, le retenant et lui enseignant de ne rien faire ni entreprendre qui puisse lui apporter honte ou reproche. Ce n'est pas du cœur mais de la bouche que vient ce discours que Raison ose lui tenir. Mais Amour, enfermé dans le cœur, l'exhorte[2] et l'invite à monter tout de suite dans la charrette. Amour le veut, alors il y saute ; il n'a plus peur de la honte, puisque c'est l'ordre et la volonté d'Amour. Cependant monseigneur Gauvain prend en chasse la charrette en piquant des deux et, en y trouvant assis le chevalier, il s'étonne. « Nain, dit-il alors, donne-moi des renseignements sur la reine, si tu sais quelque chose. — Si tu as pour toi, répondit le nain, autant de haine que le chevalier qui est assis là, monte avec lui à ta guise, et je t'em-

---

1. Catégorie de personnes méprisables ou détestables.
2. Incite.

mènerai aussi.» En entendant cette proposition monseigneur Gauvain estima que ce serait une grande folie et il
refusa d'y monter, car il perdrait au change en troquant un
cheval contre une charrette. «Mais va donc là où tu vou-
dras, et je te suivrai partout où tu iras.»

Alors ils se mettent en route, l'un à cheval, les deux
autres sur la charrette, mais en suivant ensemble le même
chemin. Au crépuscule ils arrivèrent à un château, et sachez
que ce château était imposant et magnifique. Tous trois
entrent par l'une des portes. Ce chevalier, que l'autre
amène sur sa charrette, étonne tout le monde ; mais au lieu
de s'enquérir discrètement auprès de lui, ils l'accueillent
avec des huées, petits et grands, vieillards et enfants, de rue
en rue dans une grande clameur. Alors le chevalier s'entend
dire beaucoup d'injures et d'insultes. Tous demandent : «À
quel supplice va-t-on livrer ce chevalier ? Sera-t-il écorché,
pendu, noyé, brûlé sur un bûcher d'épines ? Dis, nain, dis,
toi qui le traînes ainsi, de quel crime l'a-t-on trouvé coupable ? Est-il convaincu de vol ? Est-ce un meurtrier, ou le
vaincu d'un combat judiciaire ?» Le nain garde le silence,
sans répondre quoi que ce soit. Il conduit le chevalier à son
lieu d'hébergement, suivi de près par Gauvain : c'était une
tour jouxtant la ville et de même niveau. D'un côté il y avait
une prairie, et de l'autre une falaise de roche brune, escar-
pée, d'où la tour surplombait la vallée. Derrière la charrette
Gauvain entra donc à cheval. Dans la grande salle ils rencontrèrent une demoiselle élégamment habillée, et dont la
beauté n'avait pas de rivale dans la région ; ils voient venir
avec elle deux jeunes filles, gentilles et belles. Dès qu'elles
aperçurent monseigneur Gauvain, elles lui firent fête, le
saluèrent puis posèrent des questions sur le chevalier.
«Nain, qu'a fait de mal ce chevalier que tu transportes
comme un infirme ?» L'autre, refusant de leur donner une
explication, fit descendre le chevalier de la charrette puis

s'en alla; on ne sut où il était parti. Monseigneur Gauvain
descendit de cheval. Alors deux jeunes gens s'avancèrent
pour les désarmer tous les deux. La demoiselle leur fit
apporter deux manteaux de fourrure d'écureuil qu'ils
mirent sur leurs épaules. Quand l'heure du souper fut arrivée, un bon repas les attendait. La demoiselle se mit à table
à côté de monseigneur Gauvain. Ils n'auraient rien gagné à
vouloir changer de gîte pour trouver mieux, car ils y furent
traités avec beaucoup d'égards, en charmante compagnie
durant toute la nuit, grâce à la demoiselle.

Quand ils eurent assez mangé, on leur prépara dans une
chambre deux lits hauts et longs; il y en avait un troisième,
à côté, plus beau et plus somptueux que les autres, car,
selon ce que dit le conte, on l'avait pourvu de tout le
confort imaginable pour un lit. Arrivée l'heure du coucher,
la demoiselle conduisit les deux hôtes dont elle s'était
occupée et, leur montrant les deux lits, très beaux, grands
et larges, elle leur dit: «Ces deux lits, là-bas, ont été mis à
votre disposition; quant à celui qui est de ce côté-ci il est
réservé à celui qui l'a mérité: il n'a pas été fait pour vous.»
Alors le chevalier qui était arrivé sur la charrette répondit,
plein de dédain et de mépris pour l'interdiction formulée
par la demoiselle: «Dites-moi donc, sous quel prétexte ce
lit est-il interdit?» Elle répondit sans prendre le temps de
réfléchir (sa réponse était toute prête): «Ce n'est pas à
vous qu'il appartient de poser la question. Le déshonneur
s'attache à tout chevalier de ce monde une fois qu'il a été
en charrette: il n'est pas autorisé à poser la question que
vous venez de me poser, encore moins à prétendre y coucher; il pourrait très vite le payer cher. Je ne l'ai pas fait
préparer si richement pour vous y faire coucher. Vous
pourriez payer très cher ne fût-ce qu'une telle intention.
— Vous verrez bien, fait-il, le moment venu. — Je le verrai?
— Oui. — Attendons la démonstration. — Je ne sais qui va

en faire les frais, sur ma tête, dit le chevalier! Mais, s'en fâche ou s'en chagrine qui voudra, c'est dans ce lit que je veux me coucher et reposer tout à loisir.»

Dès qu'il a enlevé ses chausses[1], c'est dans le lit qui était plus long et plus haut que les deux autres d'une demi-aune[2] qu'il se couche, sous une couverture faite d'un brocart de soie jaune constellé d'or. La doublure n'était pas faite d'une fourrure d'écureuil de mauvaise qualité, mais bien de zibeline[3]: elle aurait pu convenir à un roi, cette couverture qu'il avait tirée sur lui; et le lit lui-même n'était pas fait de chaume, de paille, ni de vieilles nattes. À minuit, des lattes du toit fondit une lance comme la foudre, pointe en bas, sur le chevalier, menaçant de le clouer sur place par les flancs à la couverture, aux draps blancs et au lit. Le pennon[4] attaché à la lance était tout enflammé. Le feu prit à la couverture, aux draps et à l'ensemble du lit. Mais le fer de la lance frôla le chevalier de côté en lui ôtant un peu de peau, sans toutefois le blesser. Alors le chevalier s'est redressé: il éteint le feu, prend la lance et l'envoie au milieu de la salle, sans pour autant abandonner son lit; il s'est recouché et s'est rendormi aussi tranquillement que la première fois.

Le lendemain matin, au lever du jour, la demoiselle de la tour, qui leur avait fait préparer une messe, les fit réveiller et se lever. Quand on leur eut chanté la messe, le chevalier mélancolique (celui qui s'était assis sur la charrette) vint aux fenêtres donnant sur la prairie, et il regarda en bas vers les prés. À la fenêtre voisine s'était installée la jeune fille, et monseigneur Gauvain s'était entretenu avec elle un bon

---

1. Parties du vêtement masculin qui couvrent le corps depuis la ceinture jusqu'aux pieds.
2. 59 cm. L'aune est une ancienne mesure qui correspond à 1,18 m.
3. Fourrure précieuse du petit mammifère du même nom.
4. Drapeau triangulaire.

moment, dans un coin, de je ne sais quoi. Je ne sais vraiment pas le sujet de leur conversation. Mais ils étaient restés appuyés à la fenêtre pendant un certain temps quand ils virent en bas par les prés, le long de la rivière, emporter une bière; il y avait dedans un chevalier, et à côté trois demoiselles menaient grand deuil très bruyamment. Derrière la bière ils voient venir un cortège précédé d'un chevalier de grande taille qui emmenait à sa gauche une belle dame. De sa fenêtre notre chevalier la reconnut: c'était la reine. Il la suivit constamment du regard, fasciné, ravi, le plus longtemps possible. Et quand il lui fut impossible de la voir encore, il voulut se laisser tomber, son corps basculant dans le vide. Il avait déjà le corps à moitié hors de la fenêtre quand monseigneur Gauvain l'aperçut. Il le tira en arrière et lui dit: «Par pitié, seigneur, tenez-vous tranquille; par Dieu, n'allez pas vous mettre en tête de commettre une telle folie. Vous n'avez aucune raison de haïr votre vie. — Si, il a raison, réplique la demoiselle. Ne va-t-on pas partout apprendre la fâcheuse nouvelle de son voyage en charrette? Il doit bien désirer mourir; pour lui la mort est préférable à la vie puisqu'il doit vivre désormais dans la honte, le mépris et le malheur.» Sur ce, les deux chevaliers demandèrent leurs armes, et ils revêtirent leur armure. Alors la demoiselle fit montre de courtoisie, noblesse et largesse car, après avoir beaucoup raillé et rabroué le chevalier, elle lui donna un cheval et une lance en marque d'affection et de bon accord. Les chevaliers prirent congé de la demoiselle en hommes courtois et bien élevés, et après l'avoir saluée ils partirent dans la direction qu'ils avaient vu prendre par le cortège. Mais ils sortirent si vite du château que personne ne put leur adresser la parole. Ils passèrent rapidement à l'endroit où ils avaient aperçu la reine, sans pouvoir rattraper le cortège qui était parti au galop. Ils quittèrent les prés pour franchir une barrière et entrer dans un bois où ils trouvèrent un chemin empierré. Ils ont ainsi voyagé dans la forêt jusqu'à la première heure du jour. Ils rencontrent alors à un carrefour une demoiselle qu'ils ont tous les deux saluée. Et ils la pressent de questions pour qu'elle leur dise, si elle le sait, où l'on a emmené la reine. Elle répond avec prudence : « Je pourrais bien, moyennant certaines assurances de votre part, vous mettre dans le droit chemin et sur la bonne voie ; je vous dirais le nom du pays et celui du chevalier qui l'emmène. Mais il faudrait beaucoup d'endurance à celui qui voudrait entrer dans ce pays ! De rudes épreuves l'attendraient avant qu'il n'y pénètre. — Demoiselle, lui dit monseigneur Gauvain, avec l'aide de Dieu je puis vous assurer sans réserve que je mettrai à votre service, quand il vous plaira, tout mon pouvoir, pourvu que vous me disiez la vérité. » Quant à celui qui avait été sur la charrette il ne l'assure pas de tout son pouvoir, mais il affirme, avec la noblesse et la hardiesse que donne Amour en toute circonstance, qu'il lui promet tout ce qu'elle voudra et se met entièrement à sa disposition. « Je vais donc tout vous dire », fait la demoiselle qui commence alors à leur raconter : « Ma foi, seigneurs, Méléagant, un chevalier très fort et de très haute taille, fils du roi de Gorre[1], s'est emparé de la reine et il la retient au royaume dont nul étranger ne retourne, mais où il se trouve contraint à passer ses jours dans la servitude et l'exil. » Alors notre chevalier lui demande à son tour : « Demoiselle, où se trouve cette terre ? Où chercher le chemin qui y conduit ? — Vous le saurez bientôt, répond la demoiselle, mais, sachez-le, vous y rencontrerez beaucoup d'obstacles et de passages dangereux, car on n'y entre pas facilement sans l'autorisation du roi ; le roi s'appelle Bademagu. On peut entrer,

---

1. Pays dont nul ne revient. Royaume de l'au-delà, l'Autre Monde merveilleux.

cependant, par deux itinéraires périlleux et deux passages
effrayants. L'un s'appelle le Pont Immergé, parce que ce
pont passe entre deux eaux, à égale distance de la surface
et du fond, avec ni plus ni moins d'eau de ce côté que de
l'autre, et il n'a qu'un pied et demi de large, et autant en
épaisseur. Il y a de quoi refuser cette perspective et encore
est-ce la moins périlleuse. Et il y a beaucoup d'autres aventures entre ces deux chemins, dont je ne parle pas. L'autre
pont, de loin le plus difficile et le plus périlleux, n'a en effet
jamais été franchi par un homme. Il est tranchant comme
une épée et pour cette raison les gens l'appellent le Pont de
l'Épée. Je vous ai conté toute la vérité qu'il est en mon pouvoir de vous dire. — Demoiselle, lui redemande le chevalier, voulez-vous bien nous indiquer ces deux chemins ?
— Voici la voie directe, répond la demoiselle, conduisant au
Pont sous l'Eau, et voilà celle qui conduit au Pont de l'Épée. »
Alors le chevalier qui s'était fait charretier dit à l'autre :
« Seigneur, je vous laisse le choix sans arrière-pensée : prenez l'un de ces deux chemins, et cédez-moi l'autre ; prenez
celui que vous préférez. — Ma foi, fait monseigneur Gauvain, il y a bien des périls et des épreuves dans l'un et
l'autre passages. Pour choisir je manque de compétence, et
je ne sais de quel côté serait mon avantage. Mais je n'ai pas
le droit de tergiverser puisque vous m'avez laissé le choix :
je me destine au Pont sous l'Eau. — Il est donc juste que je
m'en aille au Pont de l'Épée, sans discussion, fait l'autre, et
je vais m'y employer. » Alors ils se séparent tous les trois
en se recommandant mutuellement à Dieu, très sincère-
ment. Au moment où elle les voit s'en aller, la demoiselle
leur dit : « Chacun de vous doit me donner en échange une
récompense à mon gré, quelle que soit l'heure où je voudrai l'obtenir ; veillez à ne pas l'oublier ! — Nous nous en
garderons bien, douce amie », font les deux chevaliers.
Alors chacun s'en va de son côté. L'homme de la charrette

est plongé dans sa méditation en homme sans force et sans défense envers Amour qui le gouverne. Et sa méditation est telle qu'il en oublie qui il est : il ne sait s'il est ou s'il n'est pas, il ne sait son nom, il ne sait s'il est armé ou non, il ne sait où il va ni d'où il vient. Il ne se souvient de rien sauf d'une seule personne, et c'est pour elle qu'il a oublié tout le reste ; c'est à elle seule qu'il pense si intensément qu'il n'entend, ne voit ni ne comprend rien. Cependant son cheval l'emporte à toute vitesse, sans prendre les chemins détournés, mais sur la meilleure route, la plus directe. Et le cheval fait tant et si bien que, d'aventure, il l'a conduit jusqu'à une lande où il y avait un gué [1]. Sur la rive opposée ce gué était gardé par un chevalier en armes. Une demoiselle était venue sur son palefroi lui tenir compagnie. Il était déjà presque trois heures de l'après-midi et le chevalier ne se séparait ni ne se lassait de sa méditation. Le cheval vit l'eau du gué, belle et claire ; comme il avait très soif, il courut vers cette eau, à peine l'eut-il vue. Mais celui qui se trouvait sur l'autre rive s'écria : « Chevalier, je garde le gué, et je te l'interdis. » Notre chevalier ne comprenait ni n'entendait rien, toujours absorbé dans sa méditation, et pendant ce temps son cheval galope vers l'eau à toute vitesse. L'autre lui crie de le retenir : « Laisse le gué, ce sera plus prudent de ta part, car ce n'est pas là qu'il faut traverser. » Et il jure sur son propre cœur qu'il l'attaquera s'il y pénètre. Mais le chevalier ne l'écoute pas. Alors pour la troisième fois l'autre s'écrie : « Chevalier, ne pénétrez pas dans le gué malgré ma défense et ma volonté car, sur ma tête, je vous attaquerai dès que je vous verrai dans le gué. » Mais la méditation de notre chevalier l'empêche d'entendre, et le cheval à l'instant même se jette à l'eau depuis la berge et commence à boire

---

1. Endroit d'une rivière où le niveau de l'eau est assez bas pour que l'on puisse y passer à pied.

avidement. L'autre dit qu'il va le payer cher, que ni son écu ni le haubert qu'il a revêtu ne le protégeront. Alors il met son cheval au galop, et puis le fait accélérer jusqu'au grand galop et frappe le chevalier si fort qu'il l'abat de tout son long au milieu du gué qu'il lui avait interdit. Du même coup sa lance s'envole ainsi que l'écu qui était suspendu à son col. Le contact de l'eau le fait tressaillir ; encore tout étourdi il se relève d'un bond comme quelqu'un qui se réveille, il écoute, il regarde en se demandant qui peut bien l'avoir frappé. C'est alors qu'il aperçoit le chevalier : « Vassal [1], lui cria-t-il, pourquoi m'avez-vous frappé, dites-le-moi, alors que je ne vous savais pas devant moi, et que je ne vous avais rien fait de mal ? — Si, ma foi, c'est bien ce qui s'est passé, fait l'autre ; ne vous êtes-vous pas moqué de moi, puisque je vous ai interdit le gué trois fois, en criant le plus fort possible ? Vous avez bien entendu qu'on vous défiait au moins deux ou trois fois, et alors vous y êtes entré malgré moi, et j'ai bien dit que je vous attaquerais dès que je vous verrais avancer dans l'eau. » Notre chevalier réplique alors : « Au diable si on vous a entendu, ou même aperçu jamais, et je parle pour moi ! Il se peut bien que vous m'ayez interdit le gué, mais je méditais ; sachez bien que vous regretteriez de m'avoir frappé, si seulement je pouvais saisir votre bride au moins d'une de mes mains. — Et qu'arriverait-il donc ? Tu pourras me tenir tout de suite à la bride, si tu oses la prendre. Je compte pour trois fois rien ta menace et ton orgueil. — C'est tout ce que je veux : quoi qu'il advienne, je voudrais déjà te tenir ainsi. » Alors le chevalier s'avance au milieu du gué, et l'autre l'attrape par la rêne de la main gauche et par la cuisse de la main droite ; et alors il pèse, il tire et il l'étreint si fort qu'il lui arrache une plainte, car

---

1. Homme lié à un seigneur qui le met en possession d'un fief (domaine, terre).

l'autre a l'impression qu'il lui arrache du corps toute la cuisse. Il le supplie d'arrêter, disant : « Chevalier, s'il te plaît de combattre avec moi à jeu égal reprends ton écu, ton cheval et ta lance, et faisons une joute[1]. — Je n'en ferai rien, répond-il, car je pense que tu t'enfuirais dès que tu m'aurais échappé. » Ces mots furent reçus comme une insulte par l'autre chevalier qui lui répliqua : « Chevalier, monte sur ton cheval tranquillement, et je te promets loyalement de ne pas chercher à m'enfuir. Tu m'as insulté, et j'en suis irrité. — Auparavant, répond-il encore une fois, il faut que tu me donnes ta parole. Je veux que tu me jures que tu ne t'enfuiras ni te déroberas, et que tu ne me toucheras ni t'approcheras de moi avant que je ne me sois remis en selle. Je t'aurai fait un beau cadeau en te laissant aller, alors que je te tiens. » Il lui donna sa parole, il ne pouvait faire autrement, et une fois obtenu ce serment, son adversaire prit son écu et sa lance qui allaient au fil de l'eau, et qui, portés par le courant, étaient déjà descendus beaucoup plus bas. Puis il retourne récupérer son cheval. L'ayant retrouvé, il se mit en selle, prit son écu par les poignées et mit sa lance en arrêt sur l'arçon. Ensuite ils s'élancèrent l'un contre l'autre à toute la vitesse de leurs chevaux. Le défenseur du gué lance la première attaque et frappe son adversaire si brutalement que sa lance vole en éclats. Et ce dernier le frappant à son tour l'envoya s'étendre au milieu de la rivière si bien que l'eau se referma sur lui. Puis il recula et descendit de cheval, car repousser et chasser une centaine d'ennemis de ce genre ne lui posait pas de problème. Il dégaina son épée tandis que l'autre, s'étant relevé d'un bond, tira la sienne resplendissante et sûre. Alors commença le corps à corps. Les écus aux reflets dorés, ten-

---

1. La joute est un combat à la lance et à cheval.

dus en avant, les couvraient. Les épées se sont mises à l'ouvrage sans trêve ni repos. Ils ne craignent pas de se donner
des coups terribles. Mais le combat se prolonge et un sentiment de honte envahit le cœur du chevalier de la charrette; il se dit qu'il aura du mal à s'acquitter de sa dette,
celle qui l'a lancé dans ce chemin de l'aventure, s'il lui faut
si longtemps pour venir à bout d'un seul chevalier. Hier
encore, s'il en avait rencontré dans un vallon une centaine
comme celui-là, il croit, il pense qu'ils n'auraient pas tenu
devant lui; il est chagriné et irrité de se voir si mal parti,
prodiguant en vain ses coups et gaspillant sa journée. Alors
il repart à l'attaque et presse tant son adversaire que celui-
ci perd pied puis s'enfuit; il lui cède le passage du gué, bien
à contrecœur. Cependant, comme l'autre poursuit son
assaut, il finit par tomber à quatre pattes. Alors notre charretier le rejoint et jure sur tout ce qui lui passe par la tête
qu'il va se repentir de l'avoir fait tomber dans le gué et de
l'avoir arraché à sa méditation. La demoiselle que le chevalier avait amenée avec lui entendit et saisit bien les menaces.
Elle eut grand-peur et le pria de renoncer pour elle à le
tuer. Il répliqua qu'il le ferait quand même, ne pouvant lui
pardonner la grande honte qu'il lui avait fait subir. Il arriva
sur lui, l'épée dégainée, et l'autre épouvanté l'implora: «Pour
l'amour de Dieu et pour moi accordez-lui cette grâce que
je vous demande aussi. — Que Dieu m'en soit témoin, si
grande qu'ait pu être l'offense, si l'on me demande pardon
pour l'amour de Dieu, comme il est juste, je l'accorde, mais
une seule fois. Il en ira de même pour toi, car je ne dois te
le refuser puisque tu me l'as demandé. Mais auparavant tu
vas me promettre d'aller te constituer prisonnier là où je
voudrai, quand je l'exigerai.» Et l'autre en fit le serment,
mais bien à contrecœur. La demoiselle reprit la parole:
«Chevalier, s'il te plaît, puisqu'il t'a demandé grâce et que
tu la lui as accordée, si tu as jamais libéré un prisonnier,

libère-moi celui-là. Accorde-moi qu'il soit tenu pour quitte de sa prison, étant convenu qu'au moment opportun je te rendrai ce service sous la forme qu'il te plaira dans la mesure de mes moyens.» Alors il devina qui elle était d'après les paroles qu'elle venait de prononcer et il lui remit le prisonnier libre de toute servitude. Mais elle éprouvait quelque honte et même de l'angoisse à la pensée qu'il avait pu la reconnaître, ce qu'elle aurait voulu éviter. Et lui se mit aussitôt en route; et le couple le recommanda à Dieu en prenant congé de lui, ce qu'il leur accorda. Et puis il chemina jusqu'assez tard dans la soirée, quand il rencontra une demoiselle très belle et très charmante, et fort élégamment vêtue. La demoiselle le salua en personne sage et bien éduquée, et il lui répondit: «Que Dieu vous donne, demoiselle, bonheur et santé. — Seigneur, reprit-elle, ma maison est à votre disposition tout près d'ici, s'il vous convient d'y prendre logis. Mais la condition pour vous y loger est que vous vous coucherez avec moi, c'est à prendre ou à laisser.» Bien des gens l'auraient cinq cents fois remerciée pour cette offre, mais lui en fut tout assombri, et il lui donna une réponse bien différente: «Demoiselle, je vous remercie pour votre offre d'hospitalité, et je l'apprécie beaucoup, mais, si vous permettiez, en ce qui concerne le coucher, je m'abstiendrais. — Si vous refusez cette condition, je ne pourrai rien faire pour vous, dit la demoiselle, sur la prunelle de mes yeux.» Et lui, faute de mieux, accepte ses conditions. Son cœur est chagriné qu'il ait accepté et, si pour le moment ce n'est qu'une blessure, au coucher ce sera la désolation. Grand dépit et grande peine attendent alors la demoiselle qui l'emmène. Peut-être l'aime-t-elle à tel point qu'elle ne voudra pas l'en tenir quitte. Mais comme il s'était soumis à toutes ses volontés elle l'emmène jusqu'à un domaine clos, il n'y en avait pas de plus beau jusqu'en Thessalie, car il était entouré de hauts murs et d'un fossé profond. Il n'y avait aucun homme à l'intérieur, sauf ceux qu'elle y amenait.

Cette demoiselle s'était fait aménager son séjour avec de belles chambres et une très grande salle d'apparat. Chevauchant le long d'une rivière, ils arrivèrent à cette demeure. On leur avait préparé l'entrée en descendant le pont-levis. Ils ont passé le pont et trouvé la grande salle ouverte. Cette salle avait un toit de tuiles. La porte était ouverte, ils entrent et voient une table couverte d'une grande nappe bien large. On y avait déjà apporté les plats, les chandelles allumées dans les chandeliers, les hanaps[1] d'argent doré et deux pots, l'un plein de vin de mûres et l'autre d'un capiteux vin blanc. Contre la table, au bout du banc, ils trouvèrent deux bassins pleins d'eau chaude pour se laver les mains, et à l'autre bout une serviette finement ouvragée et bien blanche, pour les essuyer. Mais au premier regard n'apparaissait à l'intérieur ni valet, ni serviteur ni écuyer. Le chevalier enleva de son col son écu et le pendit à un crochet ; il prit sa lance et l'engagea par le haut dans un porte-lance. Alors il sauta en bas de son cheval, et la demoiselle fit de même. Le chevalier apprécia qu'elle ne l'attendît point pour l'aider à descendre. Dès qu'elle fut descendue, elle courut sans tarder jusqu'à une chambre d'où elle lui rapporta un court manteau d'écarlate[2] dont elle le revêtit. La salle n'était nullement obscure malgré la nuit (déjà luisaient les étoiles), car il y avait là tant de grosses torches qui brûlaient qu'il régnait une grande clarté. Quand elle lui eut attaché le manteau aux épaules, elle lui dit : « Ami, voici l'eau et

---

1. Grands vases à boire.
2. Drap de laine fin et souple dont on faisait les manteaux de cour, à l'origine de n'importe quelle couleur, mais comme les vêtements de cérémonie étaient de couleur rouge, par métonymie, l'écarlate désigne la teinte rouge.

la serviette; personne d'autre n'est là pour vous les présenter, vous voyez que je suis seule ici. Lavez-vous les mains et asseyez-vous dès que vous en aurez l'envie et le désir. Mais l'heure et le service l'exigent, comme vous pouvez le constater.» Il se lava les mains, puis alla volontiers s'asseoir, car cela lui convenait, et elle s'assit à côté de lui. Ils mangèrent et burent ensemble. Enfin il fut temps de se lever de table.

Cela fait, la jeune fille dit au chevalier: «Seigneur, allez prendre un peu l'air, si cela ne vous contrarie pas, et restez seulement, s'il vous plaît, jusqu'au moment où, à votre avis, j'aurai eu le temps de me coucher. N'y voyez que votre avantage, car ce sera alors le moment de venir jusqu'à moi pour tenir votre promesse. — Je vous tiendrai parole, répond-il, et je reviendrai au moment que je jugerai opportun.» Il sortit donc, et resta longtemps dans la cour, mais il fallut bien revenir pour tenir sa promesse. Cependant, rentré dans la salle, il n'y trouva pas celle qui se voulait son amie; elle n'était plus là. Ne la voyant plus, il se dit: «Où qu'elle soit, je vais la chercher jusqu'à ce que je la retrouve.» Sans plus tarder il se met en quête, pour tenir sa promesse. Au moment où il pénètre dans une chambre, il entend crier très fort une jeune fille, et c'était précisément celle avec qui il devait se coucher. Alors il voit que la porte d'une autre chambre est ouverte, il s'avance dans cette direction et il aperçoit droit devant lui un chevalier qui l'avait renversée et la tenait en travers du lit, robe retroussée. Et elle, comme certaine qu'il viendrait à son secours, criait très fort: «À l'aide! à l'aide! chevalier, au nom de l'hospitalité que je t'ai accordée. Si tu ne me délivres pas de celui qui est sur moi, il va me déshonorer en ta présence. Tu dois coucher avec moi, comme tu me l'as promis; le laisseras-tu donc me faire violence, sous tes yeux? Noble chevalier, fais un effort, dépêche-toi de me porter secours.» Il voit que l'autre tenait sans pudeur la demoiselle déshabillée jusqu'au nombril. Il rougit de honte et s'indigne qu'il la tienne nue au contact de sa propre nudité. Mais cela n'éveillait en lui aucun désir, et il n'y avait en lui aucune trace de jalousie. À l'entrée de la chambre il y avait des portiers bien armés, deux chevaliers avec une épée nue à la main. Derrière eux, quatre sergents tenant chacun une hache capable de vous trancher le cou d'une vache aussi facilement qu'une racine de genévrier ou de genêt. Notre chevalier s'arrêta à la porte, se disant : « Dieu, que vais-je pouvoir faire ? Je me suis mis en route pour une cause qui est celle de la reine Guenièvre, et rien de moins. Je ne dois pas avoir un cœur de lièvre dans cette quête que j'ai entreprise pour elle. Si c'est Lâcheté qui me prête son courage, et si je lui obéis, je n'atteindrai pas le but poursuivi ; je suis déshonoré si je reste cloué là. Mais c'est vraiment indigne de ma part que d'avoir parlé de rester cloué ; j'en ai le cœur triste et assombri, oui, j'en ai honte, j'en ai un tel désespoir que je voudrais mourir pour m'être tant attardé ici. Et que Dieu n'ait jamais pitié de moi si mes propos sont dictés par quelque forme d'orgueil, et s'il n'est pas vrai que je préfère mourir avec honneur à vivre dans la honte ! Si le passage m'était laissé libre, quel serait mon mérite, ces gens me donnant l'autorisation de passer sans opposition ? Alors pourrait aussi bien passer, sans mentir, l'homme le plus poltron du monde. Cependant j'entends cette malheureuse qui m'implore avec insistance, invoquant la promesse que je lui ai faite et m'adressant de sévères reproches. » Aussitôt il s'avance jusqu'à la porte, tendant le cou et la tête, et regarde en haut vers le plafond : il voit s'abattre les épées ; il se recule ; les chevaliers n'ont pu retenir leur coup. Ils ont mis un tel élan pour frapper qu'ils fichent en terre leurs épées qui toutes deux volent en éclats. Voyant qu'elles étaient mises en morceaux, il attacha moins d'importance aux haches ; il avait moins d'appréhension et de peur à l'égard de ces armes. Alors il bondit au milieu des sergents, frappa l'un d'un coude et le second, de l'autre. Ainsi les deux qu'il rencontra les premiers furent attaqués des coudes et des bras, et étendus par terre. Le troisième le manqua. Quant au quatrième, l'attaquant à son tour il trancha d'un coup son manteau et sa chemise et érafla la peau tout le long de son épaule, faisant perler le sang qui se mit à couler. Mais lui ne ralentit pas pour autant, et sans se plaindre de sa blessure il continua à plus grandes enjambées et saisit par les tempes celui qui violentait son hôtesse. Il allait pouvoir s'acquitter de sa promesse et remplir son contrat avant de s'en aller. Bon gré mal gré, l'homme dut se redresser. Celui qui avait manqué son coup approchait le plus vite qu'il pouvait, et il leva sa hache pour frapper de nouveau, pensant bien lui fendre la tête, d'un coup, jusqu'aux dents. Alors, habile à se défendre, notre chevalier brandit celui qu'il tenait et c'est lui qui reçut le coup de hache à la jointure du cou et de l'épaule, qui se séparèrent. Et notre chevalier lui prit sa hache en la lui arrachant vivement des mains, laissant tomber celui qu'il tenait, car il devait se défendre contre les deux autres qui revenaient à l'attaque et contre les trois sergents. Cruel assaut auquel il échappe d'un bond qui le met entre le lit et le mur. Alors il leur crie : « Or çà, tous à moi ! même si vous étiez vingt-sept, maintenant que j'ai assez de recul, vous allez devoir vous battre et vous ne viendrez pas à bout de ma résistance. » Alors la jeune fille qui le regardait faire lui dit : « Sur la prunelle de mes yeux, vous n'avez plus rien à craindre avec moi où que je sois. » Elle congédia aussitôt les chevaliers et les sergents, et ils se retirèrent de la chambre sans délai ni contestation. Et la demoiselle reprit : « Seigneur, vous m'avez bien disputée à toute ma maisonnée. Venez maintenant, je vous emmène. » Ils regagnèrent la grande salle la main dans la main, mais lui n'en était pas ravi car il se serait bien passé de sa compagnie.

Un lit avait été préparé au milieu de la salle avec des draps tout propres, blancs, larges et fins. On n'y avait pas mis une vulgaire paillasse, ni une couette rugueuse. On avait étendu sur la couche une couverture faite d'une double étoffe de soie. Et c'est là que la demoiselle se coucha, mais sans enlever sa chemise. De son côté, il a dû faire un gros effort pour enlever ses chausses et se déshabiller : l'angoisse le fait transpirer ; toutefois, malgré l'angoisse, c'est sa promesse qui l'emporte et brise sa résistance. Est-ce donc un coup de force ? Autant dire l'équivalent : c'est contraint et forcé qu'il lui faut aller se coucher avec la demoiselle. Sa promesse l'exige et le réclame. Il se couche en prenant son temps, mais sans retirer sa chemise, pas plus qu'elle ne l'a fait[1]. Il prend bien garde de ne pas la toucher mais s'en tient éloigné, couché sur le dos, sans dire un mot comme un frère convers à qui il est interdit de parler une fois qu'il est allongé dans son lit. Il ne tourne son regard ni vers elle ni de l'autre côté. Il ne peut lui faire bon visage. Pourquoi ? Il ne peut arracher de son cœur un autre objet qui accapare ses pensées. D'ailleurs ne plaît ni ne convient forcément à chacun tout ce qui est beau et charmant. Le chevalier n'a qu'un cœur, qui en fait ne lui appartient plus, mais a été réservé à quelqu'un, si bien qu'il ne peut plus le prêter à une autre. Se fixer en un seul lieu, c'est la loi d'Amour qui gouverne tous les cœurs. Tous ? non, mais seulement ceux que cette divinité estime. On doit donc s'estimer davantage si elle daigne vous gouverner. Le cœur de ce chevalier était si estimé d'Amour qu'il lui était le plus soumis au monde, ce

---

1. L'usage au Moyen Âge est de dormir nu ; en gardant leurs vêtements, Lancelot et la demoiselle ne respectent pas les usages mais restent chastes.

dont il était très fier. Aussi ne voudrais-je le blâmer d'éviter ce qu'Amour lui interdit et de s'appliquer à lui obéir. La jeune fille voit bien et comprend qu'il hait sa compagnie, qu'il s'en dispenserait volontiers, et qu'en tout cas il ne lui demanderait rien de plus, ne voulant pas s'unir à elle ; alors elle lui dit : « Si cela ne doit pas vous contrarier, je partirai d'ici. J'irai coucher dans ma chambre, vous vous sentirez plus à l'aise ; car je ne pense pas que vous trouviez beaucoup d'agrément en mes attentions ni en ma compagnie. N'ayez pas mauvaise opinion de moi si je vous dis ce que je pense. Maintenant prenez du repos, car vous avez si bien tenu la promesse que vous m'avez faite que je n'ai plus le droit d'exiger de vous davantage. Je veux donc vous recommander à Dieu, et puis je partirai. » Alors elle se lève. Le chevalier n'en est pas mécontent, et il la laisse volontiers s'en aller, en homme qui a placé ailleurs toute son affection. La demoiselle s'en rend bien compte, c'est pour elle une évidence. Elle regagne donc sa chambre et se couche toute nue. Alors elle se tient ce discours : « Depuis que j'ai connu mon premier chevalier, je n'en ai trouvé aucun valant la moitié d'un sou, sauf celui-ci, car, si je comprends et devine bien, il veut se consacrer à un grand dessein qui dépasse en danger et en difficulté tout ce qui ait jamais été entrepris par un chevalier. Que Dieu lui permette d'en venir à bout ! » Sur quoi elle s'endormit et resta au lit jusqu'au lever du jour.

Dès les premières lueurs de l'aube, elle se dépêche de se lever. De son côté le chevalier se réveille, s'habille et se prépare, revêtant son armure sans que personne ne l'aide. La demoiselle arrive alors, et voyant qu'il est déjà tout prêt, elle lui dit : « Que ce jour qui commence soit pour vous favorable. — Et qu'il en soit de même pour vous, demoiselle », reprend à son tour le chevalier. Il ajoute qu'il a hâte qu'on lui sorte son cheval. La jeune fille le lui fait amener et dit : « Seigneur, je vous accompagnerais longtemps en ce voyage, si vous osiez m'emmener et m'escorter selon les us et coutumes institués bien avant nous au royaume de Logres[1]. » En ce temps-là les us et coutumes voulaient qu'un chevalier, s'il rencontrait seule une demoiselle ou une jeune fille, se sentît obligé, autant que de ne pas se trancher la gorge, de lui témoigner un strict respect, s'il voulait garder sa bonne réputation ; mais s'il lui faisait violence, alors il était à jamais discrédité, banni de toutes les cours. Mais si elle était escortée par un autre chevalier, on pouvait si l'on voulait la lui disputer et la conquérir par les armes, et ensuite en faire ce que l'on voulait sans encourir honte ni blâme. C'est pour cette raison que la jeune fille lui dit que s'il osait et acceptait de l'escorter conformément à cette coutume, de façon qu'aucun autre chevalier ne pût lui nuire, elle s'en irait avec lui. Et il lui répondit : « Jamais personne ne vous fera de mal, je vous le garantis, s'il ne m'a pas fait d'abord un mauvais sort. — Dans ces conditions, fait-elle, je veux partir avec vous. » Elle fit seller son palefroi ; ses ordres furent immédiatement exécutés, et l'on sortit le palefroi comme le cheval du chevalier. Tous deux montèrent à cheval sans écuyer pour les aider, et ils partirent à vive allure. Elle lui adressa la parole mais comme il ne s'intéressait pas à ce qu'elle lui disait, il refusa de lui répondre. Penser lui plaît, parler l'ennuie. Amour lui rouvre souvent la plaie qu'il lui a faite. Aucun emplâtre[2] n'avait jamais été mis pour soigner la blessure et guérir le malade, car celui-ci ne souhaitait ni ne voulait demander emplâtre ni médecin, du moment que la blessure ne s'aggravait pas ; il aurait plutôt recherché cette blessure. Ils allaient par voies et sentiers, en suivant le chemin le plus direct, quand ils aperçurent une

1. Royaume d'Arthur.
2. Médicament pâteux à usage externe.

source au milieu d'une prairie, avec une bordure de pierre. Sur cette margelle[1], un peigne en ivoire doré avait été oublié par je ne sais qui. Jamais, depuis le temps du géant Ysoré[2], sage ni fou n'en a vu d'aussi beau. Aux dents du peigne étaient restés accrochés des cheveux de celle qui s'en était servie pour se peigner, au moins une demi-poignée.

Quand la demoiselle aperçut la source et sa margelle, elle voulut empêcher le chevalier de les voir ; alors elle prit un autre chemin. Et lui qui goûtait et savourait ses agréables pensées ne se rendit pas compte tout de suite qu'elle l'écartait du chemin ; mais quand il s'en aperçut, il craignit d'avoir été trompé, pensant qu'elle s'écartait et sortait de son chemin pour éviter quelque danger : « Arrêtez, demoiselle, fait-il. Vous vous trompez de chemin. Venez par ici ; on n'a jamais, je pense, pris la bonne direction en sortant de ce chemin-ci. — Seigneur, nous marcherons mieux par ici, répond la jeune fille, je le sais bien. — Je ne sais, reprend-il, quelle est votre idée, mais vous pouvez bien voir que c'est ici le chemin battu ; je m'y suis engagé et je ne vais pas maintenant prendre une autre direction. Allons, s'il vous plaît, venez par ici car je vais continuer par cette route. » Alors, en marchant, ils s'approchent de la margelle et le peigne est en vue : « Ah ! vraiment, que je me souvienne, fait le chevalier, je n'ai jamais vu un aussi beau peigne que celui-ci. — Donnez-le-moi, fait la jeune fille. — Volontiers, demoiselle. » Alors il se baisse et le prend. Une fois qu'il l'a dans ses mains, il le regarde longuement, et contemple les cheveux. Et elle se met à rire. Comme il le remarque, il lui demande de bien vouloir lui dire pourquoi elle a ri et elle répond : « N'en parlez pas. Je ne vous en dirai rien pour le

---

1. Assise de pierre circulaire formant le rebord d'un puits.
2. Géant sarrasin qui infligea à Guillaume d'Orange une blessure au visage.

moment. — Pourquoi ? — Parce que je n'en ai pas envie. »
Sur cette réponse il la conjure avec la conviction d'un
homme pour qui entre ami et amie, dans un sens ou dans
l'autre, il ne peut y avoir de parjure en aucune façon : « Si
vous aimez quelqu'un de tout votre cœur, je vous conjure,
vous requiers et vous prie en son nom que vous ne m'en
cachiez plus la raison. — Vous mettez trop de garanties
à votre appel, dit-elle ; soit, je vais vous le dire, sans la
moindre trace de mensonge : si j'ai quelque connaissance,
ce peigne, que je sache, appartenait à la reine. Croyez-moi,
les cheveux que vous voyez, si beaux, si clairs, et si brillants,
sur le peigne qui les a retenus, viennent de la chevelure de
la reine. Ils n'ont certainement pas poussé dans un autre
herbage. — Ma foi, lui répondit le chevalier, il y a beaucoup
de reines et de rois. De quelle reine voulez-vous parler ?
— Ma foi, seigneur, de la femme du roi Arthur. » En entendant cette révélation le chevalier eut une faiblesse et dut
s'appuyer devant lui à l'arçon de la selle, ce que voyant la
demoiselle resta stupéfaite et ébahie[1], craignant de le voir
tomber. Ne la blâmez pas si elle eut peur, car elle pensa
qu'il était évanoui. Autant dire qu'il l'était, il s'en fallait de
peu, avec la douleur qu'il avait au cœur ; il en perdit même
l'usage de la parole et ses couleurs pendant un long moment.
Alors la jeune fille descendit de cheval et elle courut aussi
vite qu'elle put pour le retenir et lui porter secours, ne
voulant pour rien au monde le voir tomber à terre. À sa
vue il se sentit tout honteux et lui demanda : « Pour quelle
raison êtes-vous venue me trouver ici ? » N'allez pas penser
que la demoiselle lui ait avoué la vraie raison, car il en aurait
eu honte et angoisse. Il aurait été blessé et gêné si on lui
avait révélé la vérité. Aussi, se gardant de laisser transpa-

---

1. Très étonnée, surprise, stupéfaite.

raître cette vérité, elle lui dit en pesant ses mots : « Seigneur, je suis venue chercher ce peigne, et c'est pour cela que j'ai mis pied à terre ; j'en avais une telle envie que je n'ai eu de cesse que je l'eusse. » Et lui qui voulait bien qu'elle ait le peigne le lui donne, mais il en retire les cheveux si doucement qu'il n'en rompt aucun. Jamais on ne verra de regard d'homme honorer à ce point un objet, quand il commence à leur manifester son adoration : il les caressa plus de cent mille fois, de ses yeux, de sa bouche, de son front, de son visage. Il leur fait fête de toutes les façons ; c'est son bonheur, c'est sa richesse. Sur son sein, près du cœur, il les glisse entre sa chemise et sa chair. Il ne les aurait pas cédés pour un plein chariot d'émeraudes ou d'escarboucles[1]. Il n'avait plus peur d'attraper d'ulcère ou d'autre maladie. Fi du diamargariton[2], de la pleuriche[3] et de la thériaque[4], et même des prières à saint Martin et à saint Jacques ! Maintenant il avait tellement foi en ces cheveux qu'il n'avait plus besoin d'autre aide. Mais quel était donc le pouvoir de ces cheveux ? On va me prendre pour un menteur et pour un sot si j'en dis la vérité. Tout ce qui peut s'accumuler aux grands jours de la foire du Lendit[5], le chevalier ne voudrait pas l'avoir à la place de ces cheveux qu'il a trouvés. Et si vous insistez pour savoir toute la vérité, l'or cent mille fois purifié, cent mille fois fondu, semblerait plus obscur que la nuit comparée à une belle journée d'été si, après les avoir rapprochés, on le comparait à ces cheveux. Mais pourquoi retarder encore mon histoire ? La jeune fille se remet vite

---

1. Grenat rouge foncé d'un éclat très vif.
2. Fortifiant à base d'aloès et de gingembre.
3. Potion censée guérir de la pleurésie (inflammation de la plèvre).
4. Antidote contre tous les poisons, et en particulier contre le venin de serpent.
5. Grande foire annuelle, au mois de juin, à Saint-Denis, au nord de Paris.

en selle avec le peigne qu'elle emporte ; et le chevalier est transporté de joie à cause des cheveux qu'il garde sur sa poitrine. Après la plaine ils arrivent à une forêt et prennent un chemin de traverse qui va en se rétrécissant. Ils sont obligés d'avancer l'un derrière l'autre, puisqu'il n'est absolument plus possible de mener deux chevaux de front. La jeune fille avance devant son hôte à vive allure et sans changer de direction. À l'endroit où le passage était le plus étroit, ils voient arriver un chevalier. La demoiselle l'a tout de suite reconnu, du plus loin qu'elle l'a aperçu. Alors elle dit : « Seigneur chevalier, voyez-vous celui qui vient à notre rencontre tout armé et prêt pour la bataille ? Il pense à coup sûr m'emmener avec lui sans rencontrer de résistance. Je sais bien que c'est cela qu'il pense, car il m'aime, ce en quoi il n'est pas raisonnable ; en personne et par des messagers il me prie d'amour depuis bien longtemps. Mais mon amour lui est interdit, car je ne pourrais l'aimer à aucun prix. Par Dieu le secourable, je préférerais mourir que d'avoir avec lui des rapports amoureux quels qu'ils soient. Je sais bien qu'il éprouve pour le moment une joie aussi grande, des transports aussi violents que s'il m'avait déjà à sa disposition. Mais maintenant je vais voir ce que vous allez faire ; maintenant on va juger si vous êtes capable de prouesse. Maintenant je vais voir, maintenant on va juger si d'être escortée par vous suffira à mon salut. Si vous pouvez me protéger, alors je dirai sans mentir que vous êtes un preux, d'une très grande valeur. — Allez, allez ! » lui répondit-il. Et ces mots ont autant de force que s'il avait dit : « Peu m'importe, vous vous inquiétez pour rien, quoi que vous m'ayez dit. »

Tandis qu'ils parlaient ainsi, sans perdre de temps l'autre chevalier arrivait seul, au grand galop, dans leur direction. Il est d'autant plus pressé qu'il pensait ne pas perdre une bonne occasion, et il se dit bienheureux quand il voit l'être qu'il aime le plus au monde. Dès qu'il arrive à proximité, il salue la demoiselle du fond du cœur et de la bouche, disant : « La personne que je désire le plus, dont j'ai le moins obtenu de joie, et qui m'a causé le plus de douleur, soit la bienvenue, d'où qu'elle vienne. » Il n'aurait pas été juste de la part de la demoiselle d'être avare de paroles au point de ne pas lui rendre son salut, au moins du bout des lèvres. Le chevalier attacha beaucoup de prix à ce salut de la demoiselle, qui, passant par sa bouche sans la salir, ne lui coûta guère. S'il avait fait, à ce moment, une belle joute à un tournoi, il n'en aurait pas tiré autant vanité ; il n'aurait pas estimé avoir conquis autant d'honneur, ni autant de gloire. Ayant ainsi plus d'estime et d'admiration pour lui-même, il saisit la rêne dont la demoiselle retenait son cheval, disant : « Maintenant je vais vous emmener. Aujourd'hui j'ai bien navigué dans la bonne direction, et me voici arrivé à bon port. Je suis tiré d'embarras : après les périls c'est la sécurité du port, après les grands tourments c'est la grande réjouissance, après la grave maladie c'est la pleine santé ; désormais j'ai tout ce que je voulais, puisque je vous trouve dans de telles conditions que je peux vous emmener tout de suite avec moi, sans peur et sans reproche. — Vain discours que le vôtre, dit-elle, car ce chevalier m'escorte. — Vraiment c'est une bien piètre escorte, car je vous emmène sur-le-champ. Ce chevalier aurait plus vite mangé tout un tonneau de sel, je crois, que d'oser vous disputer à moi. Je ne pense pas avoir vu un homme dont je ne vienne à bout pour vous avoir. Et puisque je vous trouve à ma portée, même si cela le chagrine et lui déplaît, je vous emmènerai sous ses yeux, et qu'il s'en accommode comme il pourra. » L'autre ne s'irrite nullement en entendant ces vantardises, mais sans se moquer ni se vanter il commence à lui disputer la demoiselle en disant : « Seigneur, ne vous emballez pas, économisez vos paroles et parlez avec un peu de modestie. Personne ne vous privera de vos droits, quand vous en aurez. C'est sous mon escorte, vous finirez par le comprendre, que la jeune fille est venue jusqu'ici. Laissez-la, vous l'avez retenue trop longtemps, pour le moment elle n'a rien à craindre de vous. » Mais son adversaire veut bien qu'on le brûle s'il ne l'emmène pas malgré ses objections. Alors il lui répond : « Il ne serait pas normal que je vous laisse l'emmener. Sachez que je m'y opposerais par les armes. Mais si nous voulions un combat régulier, nous ne pourrions malgré nos efforts le faire dans ce chemin ; allons plutôt jusqu'à une voie dégagée, ou une prairie ou une lande[1]. » L'autre répond qu'il ne demande pas mieux : « Certes, je suis bien d'accord. Vous n'avez pas tort de dire que ce chemin est trop étroit. Mon cheval va déjà se trouver trop à l'étroit pour que je puisse le faire tourner sans crainte qu'il ne se brise la cuisse. » Alors il fait demi-tour avec beaucoup de difficulté mais sans blesser son cheval ni subir lui-même aucun dommage, et il dit : « Vraiment, je regrette beaucoup que nous ne nous soyons pas rencontrés en un espace assez large et devant des spectateurs, car j'aurais bien aimé que l'on pût juger lequel de nous deux combat le mieux. Mais venez donc, nous irons à sa recherche, et nous trouverons près d'ici un terrain dégagé, long et large. » Alors ils se mirent en route et arrivèrent à une prairie. Il y avait là des jeunes filles, des chevaliers et des demoiselles qui jouaient à plusieurs jeux à la faveur de ce lieu agréable. Ils n'avaient pas tous des amusements frivoles, mais il y en avait qui jouaient au trictrac, aux échecs, les uns aux dés, les autres au double-six, et on jouait aussi à la mine[2]. C'étaient là les jeux de la majorité ; les autres participants aux jeux revenaient aux amusements de leur enfance,

---

1. Grande étendue de terre peu fertile et incultivable.
2. Jeux très appréciés au Moyen Âge.

avec des ballets, des rondes et des danses; on chantait, on faisait la culbute, on sautait, et on se passionnait aussi pour la lutte.

Un chevalier d'un certain âge se tenait de l'autre côté de la prairie sur un cheval d'Espagne à robe brune, dont les rênes et la selle étaient dorées; le chevalier lui-même avait les cheveux grisonnants. Il tenait une main au côté pour se donner une contenance; en raison du beau temps il était simplement vêtu d'une tunique légère et il regardait les jeux et les danses. Il avait jeté sur ses épaules un manteau d'écarlate doublé de pleine peau d'écureuil. À l'écart, près d'un sentier, se tenait un groupe de vingt-trois chevaliers tout armés, montant d'excellents chevaux irlandais. L'arrivée des trois voyageurs interrompit les réjouissances, et tout le monde se mit à crier sur l'étendue de la prairie : «Voyez, voyez le chevalier qui fut emmené sur la charrette! Que personne ne participe à des jeux tant qu'il sera là! Malheur à qui veut jouer, malheur à qui daignera jouer tant qu'il sera là!» Entre-temps, voici le fils arrivé jusqu'à son père, le fils du chevalier aux cheveux gris, celui qui aimait la jeune fille et qui déjà croyait l'avoir à lui. Il lui dit : «Seigneur, j'éprouve une grande joie, et qui veut l'apprendre n'a qu'à écouter, car Dieu m'a donné la chose que j'ai désirée le plus dans ma vie. Le présent eût été moindre s'Il m'avait couronné roi, et je ne Lui en serais pas aussi reconnaissant; je n'y aurais pas autant gagné, car ma récolte est belle et bonne. — Je ne sais si elle t'appartient déjà.» À cette remarque de son père celui-ci lui répondit aussitôt : «Vous ne savez pas? Vous ne voyez pas clair? Par Dieu, seigneur, n'en doutez plus puisque vous voyez que je la tiens. Je l'ai rencontrée dans cette forêt d'où je viens, alors qu'elle passait. Je pense que c'est Dieu qui me l'a amenée; je l'ai donc prise par un droit de propriété légitime. — Je ne sais pas s'il te la cède déjà, ce chevalier que je vois venir derrière toi; il vient te la disputer, je crois.» Pendant qu'ils tiennent ces propos, on a interrompu les rondes à cause de la présence de ce chevalier ; plus de jeu ni de joie en signe de malveillance et de mépris. Et le chevalier aussitôt se dépêche de rejoindre la jeune fille. «Laissez cette demoiselle, chevalier, dit-il, car vous n'avez aucun droit sur elle. Si vous insistez je la défendrai contre vous.» Le vieux chevalier intervient alors : «N'avais-je pas raison ? Beau fils, ne retiens plus cette jeune fille, mais rends-la-lui.» Cela ne plaisait pas à son fils, aussi jura-t-il qu'il ne rendrait rien, disant : «Que Dieu me refuse toute joie si j'accepte de la lui rendre ! Je la garde et la garderai comme faisant partie de mon fief. La bretelle[1] et les sangles[2] de mon écu auront été auparavant rompues, et je n'aurai plus confiance en ma force ni en mon armure, ni en mon épée, ni en ma lance avant que je ne lui abandonne mon amie. — Je ne te laisserai pas combattre, dit le père, quoi que tu racontes. Tu as trop confiance en ta prouesse ; fais plutôt ce que je te dis.» Le fils, avec orgueil, lui réplique : «Suis-je un enfant à qui on puisse faire peur ? Je puis bien me vanter qu'il n'y a pas, parmi tous les chevaliers de ce monde que la mer environne, un seul qui soit assez fort pour que je la lui laisse, et que je n'oblige sans long combat à y renoncer. — Je prends acte, beau fils, dit le père, que c'est ta conviction, tellement tu te fies en ton courage, mais je refuse et refuserai encore aujourd'hui que tu te mesures avec ce chevalier. — Ce serait une honte pour moi si j'écoutais vos conseils. Maudit soit qui vous écoutera et à cause de vous renoncera : il faudrait que je ne me batte pas farouchement ? Il est bien vrai qu'on fait de

---

1. Longue bretelle de cuir qui permet de tenir l'écu en bandoulière lors des chevauchées.
2. Courroies dans lesquelles on glisse la main pour tenir l'écu lors des combats.

mauvaises affaires en famille : je pourrais plus aisément mar-
chander à l'extérieur, car vous voulez me tromper. Je sais
bien qu'ailleurs je pourrais mieux réussir mon marché. Jamais
quelqu'un d'étranger ne me détournerait de mon but, tandis que vous, vous y mettez des difficultés et des obstacles.
Mais j'en suis d'autant plus obsédé que vous me l'avez
reproché ; car, vous le savez bien, c'est en critiquant le
désir d'un homme ou d'une femme qu'on en avive la brû-
lure et la flamme. Si j'y renonce un tant soit peu pour vous,
je veux bien que Dieu me prive de toute joie à tout jamais.
Non, je me battrai, malgré vous. — Par la foi que je dois à
l'apôtre saint Pierre, fait le père, je vois bien que toute
prière resterait sans effet. Je perds mon temps à te raisonner. J'aurai vite fait de t'arranger ton affaire de telle sorte
qu'il te faudra, bien malgré toi, m'obéir en tout point, et ce
n'est pas toi qui auras le dessus ! » Aussitôt il appelle le
groupe des chevaliers, pour qu'ils viennent à lui. Il leur commande de maintenir son fils qu'il ne peut raisonner, disant :
« Je le ferais lier plutôt que de le laisser combattre. Tous,
autant que vous êtes, vous êtes à moi. Vous me devez
amour et fidélité. Sur tout ce que vous tenez de moi je vous
l'ordonne et vous en prie en même temps. Il commet une
grande folie, il me semble, et il agit sous l'effet d'un immense
orgueil quand il refuse de céder à ma volonté. » Et eux
disent qu'ils s'en saisiront et qu'une fois qu'ils le tiendront il
n'aura plus envie de combattre ; il lui faudra donc, malgré
lui, rendre la jeune fille. Ils vont donc le saisir en le prenant
par les bras et par le cou. « Alors, reconnais-tu ta folie ? fait
le père ; maintenant ouvre les yeux sur la réalité : tu n'as
plus force ni pouvoir de combattre ni de jouter, quoi qu'il
t'en coûte, que cela t'ennuie ou te chagrine. Accorde-moi
ce qui me plaît et me convient, tu agiras sagement. Et sais-
tu ce que j'ai en tête ? Pour atténuer ta douleur nous sui-
vrons, toi et moi, si tu veux, le chevalier, aujourd'hui et

demain, par les bois et par les plaines, chacun au pas de son cheval. Il se peut qu'il se montre vite à nous d'une apparence et d'une nature telles que je te laisserais te mesurer à lui et te battre comme tu le veux.» Alors le fils lui a donné sa parole, à contrecœur, puisqu'il y était contraint ; et n'ayant pas d'autre issue il dit qu'il prendrait son mal en patience à condition que tous deux suivraient ce chevalier. En voyant ce dénouement inattendu, les gens dispersés dans la prairie se mettent tous à dire : «Avez-vous vu ? Celui qui a été sur la charrette a obtenu aujourd'hui la faveur d'emmener l'amie du fils de notre seigneur, et celui-ci le suivra. En vérité nous pouvons dire qu'il doit y avoir quelque vertu en lui, puisqu'on le laisse emmener la jeune fille. Maudit cent fois soit donc celui qui s'abstiendra désormais de jouer à cause de lui ! Retournons jouer.» Alors ils reprennent leurs jeux, leurs rondes et leurs danses.

Aussitôt le chevalier se met en route et ne s'attarde pas davantage dans la prairie, mais la jeune fille ne reste pas en arrière sans profiter de son escorte. Tous deux s'en vont en hâte. Le père et le fils les suivent de loin. Ils ont chevauché à travers un pré fauché, et il est midi quand ils découvrent en un très beau site une église avec, derrière le chœur, un cimetière entouré de murs. N'étant ni vilain ni sot, le chevalier est entré à pied dans l'église pour prier Dieu. Et la demoiselle lui a tenu son cheval jusqu'à son retour. Sa prière achevée, il revenait sur ses pas quand il aperçut un moine très âgé venant à sa rencontre. Arrivé près de lui il le pria très poliment de lui dire ce qu'il y avait là, car il ne le savait pas. Le moine lui répondit que c'était un cimetière ; alors il reprit : «Conduisez-moi là-bas, et que Dieu vous assiste ! — Volontiers, seigneur.» Alors il l'y emmène. Il le conduit donc dans le cimetière entre les plus belles tombes qu'on puisse trouver jusque dans la Dombes, et de là jusqu'à Pampelune[1]. Sur chacune d'entre elles était inscrit le nom de celui qui un jour y reposerait. Lui-même commença à lire ces noms les uns après les autres et put déchiffrer: ICI REPOSERA GAUVAIN, ICI LOHOLT, ICI YVAIN. Après ces trois noms il lut ceux de beaucoup d'autres chevaliers d'élite, parmi les plus estimés et les meilleurs de ce pays et d'ailleurs. Parmi les tombes il en découvre une de marbre qui semble, comme œuvre d'art, la plus belle de toutes. Le chevalier appelle le moine et dit: «Les tombes que voici, quelle en est la destination? — Vous avez lu les inscriptions, répond-il, et vous avez compris ce qu'elles disaient; vous savez donc bien ce qu'elles veulent dire et la signification des tombes. — Et la plus grande que voilà, dites-moi, quelle est sa destination? — Je vais vous l'expliquer, répond l'ermite. C'est un tombeau qui surpasse tous les ouvrages antérieurs. Jamais on n'en a vu un aussi richement sculpté; il est plus beau à l'intérieur qu'à l'extérieur. Mais abandonnez l'idée, qui ne pourrait être par vous réalisée, de regarder l'intérieur. Pour le mettre au jour, il faudrait sept hommes des plus robustes et des plus grands afin d'ouvrir la tombe, car elle est recouverte d'une lourde dalle. Oui, sachez bien, c'est une chose certaine, il y faudrait sept hommes plus forts que vous et moi. Il y a une inscription qui dit: *Celui qui soulèvera cette dalle à lui tout seul libérera ceux et celles qui sont retenus prisonniers en cette terre dont nul ne peut sortir, même clerc ou gentilhomme, une fois qu'il y est entré. Nul n'en est encore revenu. On y retient prisonniers les étrangers tandis que les habitants du pays vont et viennent, entrent et sortent à loisir.*» Aussitôt le chevalier va saisir la dalle, il la soulève sans peine, plus aisément que ne l'auraient fait dix hommes en y mettant toutes leurs forces.

---

1. Villes situées aux confins des terres.

Le moine en est si étonné qu'il manque de tomber à la renverse à la vue d'un tel prodige. Il ne pensait voir une telle merveille de toute sa vie. « Seigneur, dit-il, j'ai grand désir de connaître votre nom ; pourriez-vous me le dire ? — Moi, non, ma foi ! fait le chevalier. — Vraiment, je le regrette, fait-il ; mais si vous me le disiez, ce serait faire preuve d'une grande courtoisie, et puis vous pourriez y trouver avantage. D'où êtes-vous, de quel pays ? — Je suis un chevalier, vous le voyez, et par ma naissance j'appartiens au royaume de Logres. J'aimerais que vous vous contentiez de cela. Mais vous, s'il vous plaît, redites-moi qui sera couché dans ce tombeau ? — Seigneur, celui qui délivrera tous ceux qui sont pris au piège du royaume dont nul n'échappe. » Le moine ayant dit tout ce qu'il pouvait dire, le chevalier l'a recommandé à Dieu et à tous ses saints. Ensuite il est revenu à la demoiselle, accompagné par le vieux moine aux cheveux blancs jusqu'à l'extérieur de l'église. Les voilà revenus sur la route, et tandis que la jeune fille remontait à cheval, le moine raconta tout ce que le chevalier avait fait là-bas, la priant de lui apprendre son nom, si elle le savait. Elle dut lui avouer que non ; elle osa seulement lui assurer qu'il n'y avait pas au monde un chevalier qui fût son égal aussi loin que soufflent les quatre vents.

Là-dessus la jeune fille le quitte et s'élance à la suite du chevalier. Sur ces entrefaites, ceux qui les suivaient arrivent et ne trouvent plus que le moine seul devant l'église. Le vieux chevalier en tunique légère lui demande : « Seigneur, avez-vous vu un chevalier, dites-nous, qui escorte une demoiselle ? — Je n'aurai pas de peine, répond-il, à vous dire toute la vérité, car ils viennent de partir d'ici. Le chevalier est allé là-bas, et il a fait quelque chose d'extraordinaire, car il a, sans se donner aucun mal, soulevé la dalle qui se trouvait sur la tombe de marbre. Il va au secours de la reine, et il ne manquera pas de la secourir, ainsi que tous les captifs.

Vous le savez bien vous-même, puisque vous avez souvent lu l'inscription qui est sur la dalle. Jamais n'est venu normalement au monde ni n'est monté en selle un chevalier de la valeur de celui-ci.» Alors le père dit à son fils: «Fils, quelle est ton impression? N'est-il donc pas d'une valeur exceptionnelle, celui qui a accompli un tel exploit? Tu sais bien maintenant qui avait tort, de toi ou de moi. Je ne voudrais pas, pour la ville d'Amiens, que tu te sois mesuré à lui. Ce n'est pas faute que tu te sois démené avant qu'on ne réussisse à t'en détourner. Maintenant nous pouvons rentrer, car il serait bien déraisonnable de notre part de les suivre plus avant. — J'en suis bien d'accord, répond-il, les suivre ne nous servirait à rien. Puisqu'il vous plaît ainsi, rentrons.» Il eut bien raison de repartir. Cependant la jeune fille s'en allait, aux côtés du chevalier, et elle voulait obtenir de lui qu'il accepte de lui apprendre son nom; elle lui demanda donc de le lui dire, elle le pria une fois, deux fois, tant et si bien qu'excédé il lui répondit: «Ne vous ai-je pas dit que je suis du royaume du roi Arthur? Par la foi que je dois à Dieu et à sa toute-puissance vous n'apprendrez rien sur mon nom.» Alors elle lui demande de lui donner congé, disant qu'elle retournera d'où elle vient; c'est ce qu'il fut tout heureux de lui accorder.

Alors la jeune fille s'en va, et le chevalier a chevauché jusque tard dans la journée sans personne pour lui tenir compagnie. Après vêpres[1], à l'heure de complies, alors qu'il était encore en route, il vit arriver un chevalier sortant d'un bois où il avait chassé. Il arrivait, heaume lacé, avec la venaison[2] que Dieu lui avait donnée chargée sur son grand cheval de chasse couleur gris fer. Ce vavasseur[3] se porta rapide-

---

1. Office religieux célébré le soir.
2. Chair du gros gibier.
3. Vassal d'un vassal.

ment à la rencontre de notre chevalier pour le prier de venir se loger chez lui : « Seigneur, dit-il, il va bientôt faire nuit. Le moment est venu de se loger, il est raisonnable de s'en occuper. J'ai une maison tout près d'ici où je vais vous conduire. Jamais vous n'aurez reçu une meilleure hospitalité que celle que je vais vous offrir dans la mesure de mes moyens. Si vous acceptez j'en serai très heureux. — Moi aussi j'en suis très heureux », répond-il. Le vavasseur envoya aussitôt son fils en avant, pour arranger le logement et hâter les préparatifs du repas. Et le jeune homme ne traîna pas mais, obéissant très volontiers et joyeusement à cet ordre, partit à toute allure. De leur côté les deux chevaliers, qui n'avaient pas besoin de se presser, ont fait route après lui pour finalement arriver au logis. Le vavasseur avait pour épouse une dame de bonne éducation, et il avait aussi cinq fils qu'il chérissait beaucoup, dont deux déjà chevaliers et trois encore apprentis, ainsi que deux filles gentilles et belles qui n'étaient pas encore mariées. Ce n'était pas des gens du pays, mais ils y étaient détenus comme prisonniers depuis longtemps, car ils étaient originaires du royaume de Logres. Le vavasseur ayant conduit le chevalier dans la cour du manoir, la dame accourut à leur rencontre ; ses fils et ses filles s'élancèrent à sa suite et tous offrirent leurs services. Ils le saluent et l'aident à descendre tandis que le maître de maison est un peu négligé par les sœurs et les cinq frères, qui savent bien que leur père veut qu'ils se comportent de cette manière. Ils prodiguent donc à leur hôte marques d'honneur et de sympathie. Quand il eut été désarmé, il reçut le manteau d'une des filles de son hôte qui l'enleva de ses propres épaules pour l'en revêtir. S'il fut bien servi à table, ce n'est pas la peine de le dire. Mais je dirai qu'après manger on n'eut aucune difficulté à trouver divers sujets de conversation. D'abord le vavasseur commença par demander à son hôte qui il était, de quel pays, sans cependant s'enquérir de son nom. Il répondit sur-le-champ : « Je suis du royaume de Logres, je n'ai jamais été dans ce pays. » En entendant cette réponse, le vavasseur ainsi que sa femme et tous ses enfants furent saisis d'étonnement : aucun n'échappe à un sentiment d'angoisse. D'entrée de jeu, ils lui déclarent : « C'est pour votre malheur que vous êtes venu, beau doux seigneur, comme c'est dommage pour vous ! Car désormais vous serez comme nous esclave et exilé. — Et d'où êtes-vous donc ? fait-il. — Seigneur, nous sommes de la même terre que vous. En ce pays on trouve beaucoup de nobles personnes de votre terre qui sont retenues en servitude. Maudite soit cette coutume et ceux qui la maintiennent en usage, coutume selon laquelle tout étranger qui vient par ici est obligé de rester comme attaché à cette terre ! Car qui le veut peut entrer, mais il lui faut rester. Votre propre sort est tout réglé : vous n'en sortirez, je pense, jamais. — Mais si, je sortirai, dit-il, je ferai mon possible. » Le vavasseur reprend : « Comment ? Pensez-vous en sortir ? — Oui, s'il plaît à Dieu ; je ferai pour cela tout ce qui est en mon pouvoir. — En ce cas, tous les autres pourraient sans crainte quitter le pays librement ; car une fois que l'un d'entre nous sera sorti, en tout bien tout honneur, de cette prison, tous les autres, à coup sûr, pourront en sortir sans obstacle. » Alors le vavasseur se souvient d'une rumeur qu'on lui avait rapportée : qu'un chevalier de grande valeur forçait son chemin dans le pays en quête de la reine que détenait Méléagant, le fils du roi ; et il se dit : « Je pense, je crois vraiment que c'est lui, et je vais donc le lui dire. » Alors il reprit la parole : « Ne me cachez rien, seigneur, de votre entreprise, et en échange je vous promets de vous donner le meilleur conseil que je pourrai. Moi-même j'aurai tout à gagner si vous réussissez. Révélez-moi la vérité pour votre profit et le mien. Si vous êtes venu en ce pays, j'en suis persuadé, c'est à cause de la reine, au milieu de cette race d'infidèles pires que les Sarrasins eux-mêmes. » Alors le chevalier répond : « Je ne suis pas venu pour autre chose. Je ne sais où ma dame est enfermée, mais je n'ai qu'une chose en tête, la secourir, et j'ai grand besoin de conseil. Conseillez-moi, si vous le pouvez. — Seigneur, répond-il, vous avez entamé une voie très difficile. Cette route où vous vous trouvez conduit tout droit au Pont de l'Épée. Ce serait le moment d'écouter un bon conseil : si vous vouliez me croire, vous iriez au Pont de l'Épée par un chemin plus sûr, et je vous y ferais conduire. » Mais lui, qui ne désire que le plus court chemin, demande : « Est-ce que la route dont vous me parlez est aussi directe que celle qui passe par ici ? — Non, répond-il, c'est une route plus longue, mais plus sûre. — Cela ne m'intéresse pas ; dites-moi ce que vous savez sur cette route-ci, car c'est elle que je suis prêt à affronter. — Seigneur, vous n'y aurez aucun avantage ; en prenant cet autre itinéraire, vous arriverez demain à un passage qui pourra vite tourner mal pour vous ; son nom : le Passage des Pierres [1]. Voulez-vous que je vous dise aussi combien ce passage est dangereux ? Il n'a que la largeur d'un cheval ; deux hommes ne pourraient y passer de front, et le passage est bien gardé et bien défendu. On ne vous le livrera pas dès votre arrivée. Vous recevrez maint coup d'épée et de lance, et vous devrez en rendre beaucoup avant d'arriver de l'autre côté. » Quand il eut terminé son exposé, un chevalier s'avança ; c'était un des fils du vavasseur, et il dit : « Père, j'irai avec ce seigneur, si vous le permettez. » Alors un des jeunes apprentis chevaliers se lève et dit : « Moi aussi, j'irai. » Et le père leur donne son accord bien volontiers à tous les deux. Maintenant le che-

---

1. Accès périlleux et étroit vers l'Autre Monde.

valier n'ira pas tout seul, et il les en remercie, car il apprécie beaucoup leur compagnie.

Sur ce la conversation prit fin et on emmena se coucher le chevalier. Il put dormir tout son soûl. Dès qu'il aperçut la clarté du jour il se leva, ce que voyant ceux qui devaient aller avec lui, ils se levèrent aussitôt. Une fois équipés et armés les chevaliers prirent congé puis se mirent en route. Le plus jeune marchait devant et leur petit groupe chemina jusqu'au Passage des Pierres où ils arrivèrent juste à l'heure de prime. Il y avait une bretèche[1] au milieu du chemin, avec toujours au poste une sentinelle. Avant qu'ils aient eu le temps d'approcher, la sentinelle en faction les aperçoit et crie de toutes ses forces : « Alerte à l'ennemi ! Alerte à l'ennemi ! » Alors voici qu'arrivent à hauteur de la bretèche un chevalier en selle équipé d'une armure toute neuve, et de chaque côté les hommes d'armes portant des haches bien aiguisées. Le chevalier qui défendait le passage lui reprocha la charrette en termes insultants : « Vassal, dit-il, tu t'es montré bien téméraire, et c'est très naïf de ta part d'être entré en ce pays. Un homme qui est monté sur une charrette n'aurait pas dû venir par ici ; que Dieu te prive à jamais d'en profiter ! » Alors ils s'élancent l'un vers l'autre de toute la vitesse de leurs chevaux. Le défenseur du passage brise d'emblée sa lance et en laisse tomber les deux morceaux. L'autre l'atteint à la gorge droit par-dessus la bordure de l'écu, et il l'envoie sur les rochers à la renverse. Les hommes d'armes l'attaquent à la hache mais ils font exprès de le manquer, n'ayant aucune envie de lui faire du mal pas plus qu'à son cheval. Et le chevalier se rend bien compte qu'ils ne veulent pas le gêner et qu'ils ne désirent pas lui faire de mal. Il ne prendra pas la peine de tirer son

---

1. Ouvrage de fortification muni de créneaux.

épée et passe outre sans coup férir, suivi de ses compagnons. L'un d'eux dit alors à l'autre qu'il n'a jamais vu un tel chevalier, et que celui-ci n'a pas son pareil : « N'a-t-il pas accompli quelque chose d'extraordinaire en forçant le passage par ici ? — Beau frère, par Dieu, dépêche-toi, dit le chevalier à son frère, et va trouver notre père pour lui apprendre cette aventure. » Mais le jeune homme, obstiné, jure qu'il n'ira pas le lui dire, et qu'il ne quittera pas ce chevalier avant qu'il ne l'ait adoubé et fait chevalier. Qu'il aille, lui, porter ce message s'il en a tellement envie ! Alors ils continuent ensemble, tous les trois, leur chemin jusque trois heures passées. Vers trois heures, ils ont rencontré un homme qui leur demande qui ils sont. Ils répondent : « Nous sommes des chevaliers et nous nous occupons de nos affaires. » L'homme dit alors au chevalier. « Seigneur, je voudrais vous héberger, vous et vos compagnons. » Il parle à ce chevalier, qui lui semble être le seigneur et le maître des deux autres. Lequel répond : « Il ne me serait pas possible de faire étape à cette heure, car il faut être lâche pour traîner en route et se reposer tranquillement quand on s'est engagé dans une telle entreprise. Ce que j'ai entrepris est de telle importance que je ne suis pas près de faire étape. » Mais l'homme revient à la charge : « Mon logis n'est pas tout près d'ici, mais bien plus loin sur votre chemin. Vous pouvez y venir, étant entendu que vous ferez étape à l'heure qui convient, car il sera tard quand vous y arriverez. — Eh bien, dit-il, j'irai donc. » L'homme part en avant pour les guider, et les autres derrière lui, en suivant la grand-route. Ils marchaient depuis longtemps quand ils rencontrèrent un écuyer qui, sur le même chemin, arrivait au grand galop sur un cheval de trait bien gras et rond comme une pomme. L'écuyer dit à l'homme : « Seigneur, seigneur, venez vite car les gens de Logres ont pris les armes pour attaquer les habitants de cette terre ; la guerre a commencé, on se bat, c'est la mêlée. Ils disent qu'un chevalier s'est introduit dans cette région, qu'il a déjà livré bataille en maints endroits et qu'on ne peut lui interdire le passage là où il veut s'avancer, quoi qu'il en coûte. Et les gens du pays sont d'accord pour dire qu'il les délivrera tous, et soumettra les nôtres. Hâtez-vous donc, si vous m'en croyez.» Alors l'homme met son cheval au galop. Les autres sont tout joyeux parce qu'ils l'ont entendu aussi, et ils voudront aider les gens de leur parti. Le fils du vavasseur dit alors : «Seigneur, vous entendez ce qu'a dit cet homme d'armes. Allons-y, portons secours à nos gens qui ont maille à partir avec ceux de l'autre bord.» L'homme poursuivit sa course sans les attendre, se dirigeant à toute vitesse vers une forteresse installée sur une hauteur; il arriva en trombe à l'entrée, suivi des autres qui faisaient force d'éperons. La place était entourée d'un haut mur d'enceinte et d'un fossé. Dès qu'ils furent entrés on leur ferma une herse sur les talons, leur coupant le chemin du retour. Mais ils dirent : «Allons, allons, ne nous laissons pas arrêter ici.» Suivant leur guide à vive allure, ils arrivèrent à l'autre porte, où ils ne rencontrèrent pas d'opposition, mais dès que le guide l'eut franchie ils laissèrent s'abattre derrière lui une porte coulissante. Ils furent très inquiets de se voir ainsi enfermés à l'intérieur, pensant être victimes d'un enchantement. Mais le héros de mon histoire avait à son doigt un anneau dont la pierre avait pour vertu de dissiper tout enchantement quand on la regardait. Il mit donc l'anneau dans le champ de son regard, examina la pierre et déclara : «Dame, dame, que Dieu me porte secours, maintenant j'aurais grand besoin que vous puissiez m'aider.»

Cette dame était une fée[1] qui lui avait donné l'anneau,

---

1. C'est la fée Viviane (ou Niniane), la Dame du Lac; elle a élevé Lancelot durant son enfance.

car elle l'avait élevé durant son enfance; il avait une très
grande confiance en elle, sachant bien qu'elle viendrait, en
quelque endroit qu'il fût, lui porter aide et secours. Mais il
vit bien, après cette invocation et la consultation de la
pierre, qu'il n'y avait pas d'enchantement; il sut donc en
toute certitude qu'ils étaient bel et bien retenus prisonniers. Alors ils arrivent à une poterne étroite et basse. D'un
même geste ils tirent leurs épées et s'escriment tous tant et
si bien qu'ils coupent la barre qui retenait la porte. Une fois
sortis de la tour ils virent que la bataille avait commencé là-
bas dans les prés, puissante et féroce, et qu'il y avait bien au
moins mille chevaliers de part et d'autre sans compter la
foule des vilains. Ils descendirent vers les prés, et avec bon
sens et prudence le jeune fils du vavasseur prit la parole
pour dire : «Seigneur, avant d'aller plus loin nous ferions
bien, je pense, d'aller nous renseigner pour savoir de quel
côté sont nos gens. Je ne sais par où ils sont venus, mais
j'irai me rendre compte, si vous voulez. — Je veux bien, lui
est-il répondu, allez-y vite, et il faut revenir aussi vite ! » Il y
va rapidement et revient de même, pour dire : «Nous avons
beaucoup de chance, car j'ai vu clairement que les nôtres
sont de ce côté-ci. » Le chevalier se dirigea aussitôt vers la
mêlée. Un autre chevalier vint à sa rencontre; au cours de
la joute qui en résulta, il le frappa d'un bon coup qui, traversant l'œil, l'abattit raide mort. Le jeune apprenti chevalier
mit pied à terre, prit le cheval et l'armure de ce chevalier,
et il la revêtit fort adroitement. Ainsi équipé il monta à cheval sans délai, prit l'écu et la lance, une grande lance, robuste
et bien décorée; il attacha l'épée à sa ceinture, une épée
tranchante, dont les reflets jetaient comme des éclairs. Il
rejoignit dans la bataille son frère et son seigneur, lequel
avait fait merveille dans la mêlée pendant longtemps, ayant
rompu, fendu, mis en miettes écus, lances et hauberts. Ni le
bois ni le fer ne protégeaient celui qu'il atteignait : ou bien il

était assommé, ou bien il volait mort en bas de son cheval. À lui seul il mettait tant d'ardeur à l'ouvrage qu'il les abattait tous, et de leur côté ceux qui l'accompagnaient faisaient aussi du bon travail. Mais les gens de Logres s'en étonnent, car ils ne le connaissent pas, et ils se renseignent sur lui auprès du fils du vavasseur. À force de poser des questions ils obtiennent cette réponse : « Seigneurs, c'est celui qui nous tirera tous de l'exil et de la condition misérable où notre malheur nous a tenus si longtemps. Nous devons bien l'honorer puisque, pour nous tirer de prison, il a franchi tant de dangereux obstacles et doit encore en franchir beaucoup ; après tant de hauts faits il lui en reste autant à accomplir. » C'est une joie générale une fois que la nouvelle s'est répandue auprès de tout le monde ; tous l'ont entendue, tous l'ont apprise. Cette joie qu'ils éprouvaient fit croître leur force, et ils se démenèrent tant qu'ils tuèrent beaucoup de leurs adversaires, et s'il les malmenèrent encore plus, ce fut grâce aux exploits d'un seul chevalier, il me semble, plutôt que par une émulation collective. Si l'on n'avait pas été si près de la nuit, leurs adversaires auraient été tous mis en déroute ; mais la nuit obscure les contraignit à interrompre le combat.

Au moment de se retirer, tous les captifs, comme pour rivaliser d'empressement, vinrent entourer le chevalier, s'accrochant aux rênes de son cheval, et ils commencèrent à dire : « Soyez le bienvenu, beau sire. » Et chacun d'ajouter : « Seigneur, sur ma foi, vous logerez chez moi. — Seigneur, par Dieu et par Son nom, vous ne logerez que chez moi. » Chacun répète ce que dit l'autre, car tous veulent le loger, aussi bien les jeunes que les vieux. Et chacun prétend : « Vous serez mieux chez moi que chez un autre. » Voilà ce que chacun dit en sa présence, pour l'enlever à l'autre, puisque chacun veut l'avoir, si bien que pour un peu ils en viendraient aux mains. Alors il leur dit que leur dispute n'est que temps perdu et pure folie : « Laissez, dit-il, cette chamaillerie qui n'est ni dans mon intérêt ni dans le vôtre. La discorde n'est pas bonne entre nous, alors que nous devrions nous entraider. Vous n'avez pas à débattre pour savoir qui me logera, mais votre souci doit être, afin que tout le monde y trouve son compte, de me loger en un lieu tel que je ne m'écarte pas de mon droit chemin. » Cependant la rivalité continue : « Ce sera chez moi. — Non, chez moi ! — Vous ne parlez pas encore comme je le voudrais, fait le chevalier. Le plus sage de vous est encore fou, quand j'entends ce pour quoi vous vous querellez. Vous devriez favoriser mon avance, et vous cherchez à m'imposer des détours. Vous pourriez tous l'un après l'autre m'avoir comblé d'honneurs et de bons services autant qu'on en peut faire à un mortel, sans que, par tous les saints qu'on prie à Rome, je vous sache gré du bénéfice que j'en retirerais plus que je ne fais de votre seule intention. Que Dieu ne m'accorde ni joie ni santé s'il n'est pas vrai que votre intention me réjouit autant que l'auraient fait toutes les marques effectives d'estime et de bienveillance ; que l'intention soit prise en compte autant que l'acte ! » C'est ainsi qu'il en vient à bout et les apaise. On l'emmène chez un chevalier fort aisé dont la maison se trouve sur son chemin, et tous se mettent en frais pour le servir. Tous lui prodiguent marques d'estime et services, et ce ne sont que réjouissances en son honneur toute la soirée jusqu'à l'heure du coucher. Tout le monde le tient en grande affection. Le lendemain matin, à l'heure du départ, chacun voulait aller avec lui et lui faisait des offres de service. Mais il n'avait ni désir ni volonté d'avoir d'autres compagnons de route que les deux qu'il avait amenés jusque-là avec lui. Ils avaient été sa seule escorte. Ce jour-là, ils ont chevauché du matin au soir sans rencontrer d'aventure. Ils avançaient à vive allure, tard dans la journée, quand ils sortirent d'une forêt. À ce moment ils aperçurent la maison d'un chevalier, et ils virent sa femme, qui semblait une dame estimable, assise à la porte. Dès qu'elle put les distinguer, elle se leva pour les accueillir, leur montrant un visage riant de joie ; elle les salua en ces termes : « Soyez les bienvenus ; je veux que vous vous logiez chez moi ; vous êtes mes hôtes, descendez de cheval. — Dame, nous vous remercions ; puisque vous nous l'ordonnez, nous descendons et nous nous logerons chez vous. » Ils descendirent de cheval, et dès qu'ils furent à terre la dame fit prendre les chevaux, car elle avait une belle maisonnée à sa disposition. Elle appela donc ses fils et ses filles, et ils arrivèrent aussitôt, jeunes gens courtois et gracieux, chevaliers et belles jeunes filles. Aux uns elle commande d'enlever les selles des chevaux, et de bien les panser. Personne n'eût osé s'y refuser, et ils le firent bien volontiers. Elle fit désarmer les chevaliers, ce que ses filles vinrent faire avec empressement. Une fois libérés de leur armure, ils reçurent pour s'habiller chacun un manteau court. On les emmena aussitôt à la maison qui avait très belle allure. Le seigneur n'était pas là, car il était dans la forêt accompagné de deux de ses fils. Mais il arriva bientôt, et sa maisonnée qui était fort bien éduquée s'élança pour l'accueillir au seuil de la porte. Toute la venaison qu'il apportait fut bien vite déchargée et déballée ; et on le mit au courant des événements : « Seigneur, seigneur, vous ne savez pas, vous avez pour hôtes trois chevaliers. — Dieu soit loué ! » répondit-il. Le chevalier et ses deux fils firent fête à leurs hôtes, tandis que la maisonnée ne restait pas inactive, toute aux préparatifs dont elle avait la charge : les uns courent pour hâter les apprêts du repas, les autres pour allumer les chandelles ; on approche la flamme et elles commencent à éclairer ; on prend serviette et bassins afin qu'ils se lavent les mains et l'on verse l'eau sans compter. Tout le monde s'étant lavé, on va s'asseoir. Il n'y avait au spectacle ainsi

offert rien de choquant ni de désagréable. Au premier service il y eut, en guise d'entremets[1], l'arrivée d'un chevalier
qui se présenta sur le seuil de la porte ; il était plus
orgueilleux qu'un taureau, animal qui ne manque déjà pas
d'orgueil. Lui se tenait armé de pied en cap, assis sur son
destrier. Il s'appuyait d'une seule jambe à l'étrier et avait
placé l'autre, pour faire des manières et se rendre intéres-
sant, sur l'encolure de son destrier à longue crinière. Et
voilà qu'il était arrivé sans que personne n'ait pris garde à
lui jusqu'au moment où il se planta devant eux et dit : « Qui
est celui — je veux le connaître — qui a tant de sottise et
d'orgueil, et la tête si vide de cervelle, qu'il est venu dans ce
pays avec l'idée de passer le Pont de l'Épée ? Il a bien perdu
sa peine, et les pas qu'il a faits pour venir. » Et le chevalier
ainsi interpellé, nullement troublé, lui répondit tout tranquillement : « C'est moi qui veux passer le pont. — Toi ?
Toi ? Comment as-tu osé avoir cette idée ? Tu aurais dû,
avant de te lancer dans une telle entreprise, réfléchir à la
façon dont tout cela pourrait se terminer pour toi, tu aurais
dû te souvenir de la charrette où tu montas. Je ne sais si tu
ressens de la honte pour y être monté mais aucun être
sensé ne se serait lancé dans une si grande entreprise sous
le coup d'un tel blâme. » À tout ce qu'il s'entend dire, lui ne
daigne répondre un seul mot ; mais le seigneur de la maison
et tous ceux qui s'y trouvent ont quelque raison d'être au
comble de l'étonnement : « Ah ! Dieu, quelle terrible mésa-
venture, se dit chacun d'entre eux ; maudite soit l'heure où
l'on a inventé la charrette, car c'est un instrument vil et
méprisable. Ah ! Dieu, de quoi était-il accusé ? pourquoi l'a-
t-on mis sur une charrette ? Pour quel crime ? On le lui
reprochera toujours, désormais. S'il était à l'abri de ces

---

1. Divertissements qui avaient lieu pendant le repas, entre les plats.

reproches il n'y aurait pas au monde de chevalier, quelle que fût sa prouesse, qui pût s'égaler à celui-ci. On pourrait tous les rassembler, on n'en verrait pas de si beau ni de si noble, à dire toute la vérité.» Telles étaient les communes réflexions. Et l'autre, bouffi d'orgueil, reprit son discours en ces termes : «Chevalier, écoute un peu, toi qui t'en vas au Pont de l'Épée : si tu veux, tu passeras l'eau facilement et en douceur. Je te ferai vite faire la traversée en bateau. Mais le prix à payer, quand je t'aurai à ma disposition sur l'autre rive, sera ta tête : selon mon bon plaisir je la prendrai ou non, tu seras à ma merci.» Lui, il répond qu'il ne cherche pas à faire son propre malheur ; jamais il ne risquera sa tête en un tel jeu, quoi qu'il lui en coûte. Et l'autre de répliquer : «Puisque tu ne veux pas de cette solution, je ne sais qui aura la honte et le deuil, mais tu devras te battre avec moi, là-dehors, au corps à corps.» Et lui, pour amuser son adversaire, lui dit : «Si je pouvais refuser cette proposition, volontiers je m'en dispenserais ; mais j'aime encore mieux combattre que d'avoir à faire quelque chose de pire.» Avant de se lever de table, il demande aux valets qui le ser-vaient de seller rapidement son cheval, d'aller prendre ses armes et de les lui apporter. Alors ils s'efforcent de faire vite ; les uns s'affairent à lui revêtir son armure, les autres lui amènent son cheval ; et sachez-le bien, il n'avait pas l'air, alors qu'il se mettait en route au pas, armé de toutes ses armes, l'écu tenu par les sangles, du haut de son cheval, de ne pas mériter d'être compté parmi les beaux et les bons chevaliers. On voyait bien que le cheval était à lui, tant il était en harmonie, comme l'écu qu'il tenait, le bras engagé dans les sangles ; et le heaume lacé sur sa tête lui allait si bien que vous n'auriez pas eu l'idée qu'il ait pu se le faire prêter ou l'avoir acheté à crédit. Non, vous auriez juré, sous le coup de l'admiration, qu'il était né et qu'il avait

grandi avec. Et, ce que je vous dis là, je vous prie de bien
vouloir le croire.

À l'extérieur attendait, dans une lande où devait avoir
lieu la bataille, celui qui avait exigé la joute. Dès qu'ils se
voient ils s'élancent à bride abattue l'un vers l'autre. Ils se
rencontrent en pleine vitesse et le choc des lances est tel
qu'elles plient, se courbent et toutes deux volent en morceaux. Alors ils entament avec leur épée les écus, les
heaumes et les hauberts. Ils tranchent le bois, brisent le fer
si bien qu'ils se blessent en plusieurs endroits. Ivres de
colère ils se rendent la monnaie des coups avec la régularité
d'un contrat commercial. Mais plus d'une fois les épées des-
cendent jusqu'aux croupes des chevaux ; elles s'abreuvent
de sang tout leur soûl car ils en frappent les flancs des chevaux tant et si bien qu'ils les abattent morts tous les deux.
Une fois tombés à terre ils reprennent la lutte à pied ; s'ils
étaient animés par une haine mortelle, vraiment ils ne s'at-
taqueraient pas à l'épée plus sauvagement. Ils frappent à
coups répétés avec plus d'acharnement que le joueur de
mine qui risque aux dés denier après denier sans trêve, et
qui à chaque fois qu'il perd tente un autre coup de dés. Mais
il s'agissait d'un tout autre jeu, qui ne devait rien au hasard :
il était fait de coups échangés dans un combat farouche,
implacable et cruel. Tout le monde était sorti de la maison :
le seigneur, sa dame, ses filles et ses fils, et personne n'était
resté à l'intérieur, ni la famille ni les étrangers ; tous étaient
venus se ranger pour assister au corps à corps dans la vaste
lande. Le chevalier à la charrette s'accuse et se reproche sa
faiblesse quand il voit que son hôte le regarde ; puis il se
rend compte que les autres aussi sont réunis pour le regarder. Tout son corps se met à trembler de fureur car il
aurait dû, pense-t-il, avoir mis fin depuis longtemps au combat en triomphant de son adversaire. Alors il le frappe de
son épée qui menace de tout près sa tête, et il fond sur lui

comme un ouragan, le pousse, le presse tant que l'autre doit reculer. Gagnant sur lui du terrain, il le mène tant et si bien que l'autre manque de souffle et n'a plus de ressource pour se défendre. Alors le chevalier se souvient qu'il avait grossièrement fait allusion à la charrette. Il le déborde et l'arrange si bien qu'il ne lui laisse intacts ni lacets ni courroies autour du col de son haubert ; ainsi il peut faire voler de sa tête le heaume et glisser la ventaille[1]. Il le fait souffrir et le malmène jusqu'au moment où il le tient à sa merci. Comme l'alouette qui ne peut plus résister à l'émerillon une fois que, débordée et dominée par son vol, elle n'a plus de recours, ainsi son adversaire couvert de honte se met à implorer sa grâce, n'ayant plus rien d'autre à faire. En entendant sa requête, sans le toucher ni le frapper, il lui demande : « Veux-tu que je t'accorde ta grâce ? — Vous avez parlé très sagement, dit-il ; comme le dirait un personnage comique : jamais je n'ai désiré quelque chose aussi ardemment que la grâce aujourd'hui. — Alors il te faudra monter sur une charrette, lui est-il répondu ; tu perdrais ton temps à me raconter tout ce qui te passe par la tête si tu ne montais pas dans la charrette, parce que ta sotte bouche me l'a reprochée grossièrement. » Mais ce chevalier lui répond : « À Dieu ne plaise que j'y monte. — C'est non ? eh bien, vous allez mourir. — Seigneur, vous pouvez bien me faire mourir mais, par Dieu, je vous demande grâce à la seule condition que je ne doive pas monter en charrette. Je suis prêt à recevoir n'importe quelle punition, sévère et dure, à l'exception de celle-là. Je pense que je préférerais être mort que d'avoir commis cette infamie. Mais à part cela il n'y a aucun châtiment que je ne veuille subir, si vous me l'indiquez, pour mériter votre grâce et votre miséricorde. »

---

1. Partie de la visière du heaume par où passe l'air.

Pendant qu'il négocie sa grâce, voici qu'arrive à travers
la lande une jeune fille sur une mule fauve marchant à
l'amble[1]; elle était nu-tête et décoiffée, et tenait une cra-
vache dont elle donnait de grands coups à sa mule, si bien
que nul cheval au grand galop ne serait allé, en vérité, aussi
vite que cette mule courant à l'amble. S'adressant au chevalier de la charrette la jeune fille dit: «Que Dieu te mette
dans le cœur, chevalier, une joie parfaite avec celle qui fait
ton bonheur.» Ces paroles lui furent agréables et il répondit: «Que Dieu vous bénisse, jeune fille, et vous donne joie
et santé!» Alors elle lui révéla ce qu'elle voulait: «Chevalier, je suis venue de loin te trouver pour une affaire pres-
sante; je veux te demander un don, et je ferai tout ce qui
est en mon pouvoir pour t'en récompenser et t'en dédom-
mager; car tu auras un jour besoin de mon aide, je crois.
— Dites-moi ce que vous voulez, répondit-il, et si je l'ai à
ma disposition, vous pourrez l'obtenir sans délai, pourvu
que ce ne soit pas chose trop difficile. — Il s'agit de la tête
de ce chevalier que tu as vaincu, et vraiment tu n'as jamais
rencontré quelqu'un d'aussi traître ni d'aussi déloyal. Tu ne
commettras ainsi ni péché ni mauvaise action, au contraire
tu accompliras un acte charitable et moral, car c'est le plus
déloyal des êtres du temps passé ou à venir.» Quand le
vaincu entendit qu'elle voulait sa mort, il lui cria: «Ne la
croyez pas, car elle me hait; mais je vous prie d'avoir pitié
de moi au nom de ce Dieu à la fois fils et père, qui choisit
pour mère celle qui était sa fille et sa servante. — Ah! chevalier, reprit la jeune fille, ne croyez pas ce traître. Que
Dieu te donne autant de joie et d'honneur que tu peux le
désirer, et qu'il t'accorde de réussir ce que tu as entrepris!» Voilà le chevalier bien embarrassé et il prend le temps

---

1. Allure de certains quadrupèdes qui se déplacent en bougeant
ensemble les deux membres d'un même côté.

de réfléchir : donnera-t-il la tête à celle qui lui demande de la trancher, ou accordera-t-il assez de prix à l'autre pour le prendre en pitié ? À l'une comme à l'autre il souhaiterait accorder ce qu'ils demandent. Largesse et Pitié lui commandent de faire plaisir à chacun des deux, car il avait ces deux vertus. Mais si la jeune fille remporte la tête, alors Pitié sera vaincue et morte ; et si elle ne l'emporte pas, alors c'est la défaite de Largesse. Il est pris au piège d'une double contrainte qui des deux côtés l'angoisse et le tourmente. La jeune fille veut qu'il lui donne la tête comme elle le lui a demandé ; inversement, Pitié quant à elle lui commande de le laisser aller. Or, puisqu'on lui a demandé grâce, doit-il la refuser ? Non, car il ne lui est jamais arrivé qu'à quelqu'un, même son pire ennemi, une fois vaincu et contraint de demander grâce, non, il ne lui est jamais arrivé qu'il lui ait refusé cette grâce, du moins la première fois, et sans lui laisser l'espoir d'obtenir davantage. Donc il ne la refusera pas à cet homme qui fait appel à lui et le supplie, puisque tel est son principe de conduite. Et celle qui veut la tête, l'aura-t-elle ? Oui, s'il peut. « Chevalier, dit-il, il te faut combattre de nouveau avec moi, et je t'accorderai cette grâce, si tu veux défendre ta tête : je te laisserai reprendre ton heaume et t'armer tranquillement une nouvelle fois de pied en cap du mieux que tu pourras. Mais sache que tu mourras si je l'emporte sur toi une seconde fois. — Je ne demande rien de plus, répond son adversaire, et je ne souhaite pas d'autre grâce. — Et je te fais encore une belle faveur, ajoute-t-il, car je me battrai avec toi sans bouger de ma place. » L'autre s'équipe et ils reprennent le combat avec acharnement ; mais notre chevalier eut moins de mal à le vaincre que la première fois. Aussitôt la jeune fille lui crie : « Ne l'épargne pas, chevalier, quoi qu'il te dise, car il est certain qu'il ne t'aurait pas épargné, lui, dès la première fois qu'il l'eût emporté. Sache bien que si tu crois ce qu'il dit

il t'abusera encore. Tranche la tête à l'homme le plus déloyal
de l'empire et du royaume, noble chevalier, et donne-la-
moi. Tu dois me la donner parce qu'un jour viendra, je
pense, où j'aurai l'occasion de t'en récompenser. Mais s'il le
peut, il t'abusera une nouvelle fois par ses discours. » L'autre,
voyant sa mort approcher, crie très fort pour demander
grâce ; mais ses cris ne peuvent plus rien pour lui, ni quoi
qu'il puisse lui dire. En effet, le tirant par le heaume, notre
chevalier en coupe toutes les sangles ; il lui fait glisser de la
tête la ventaille et la coiffe brillante. Et l'autre s'affole de
plus en plus : « Pitié, pour Dieu ! Pitié, vassal. — Sur le salut
de mon âme, lui est-il répliqué, je n'aurai plus pitié de toi,
puisque je t'ai déjà accordé une fois ma grâce. — Ah ! dit-il,
vous commettriez un péché si vous écoutiez mon ennemie
pour me faire mourir de cette façon-là. » Tandis que celle
qui désire sa mort, parlant dans un sens opposé, l'invite à lui
trancher rapidement la tête sans plus croire ses discours.
Alors il frappe et la tête va voler par la lande tandis que le
corps s'affaisse. La jeune fille en est heureuse et satisfaite.
Le chevalier prend la tête par les cheveux, et puis il la lui
tend, et elle s'en réjouit, disant : « Puisse ton cœur éprou-
ver autant de joie avec l'objet de son plus grand désir, que
le mien en éprouve aujourd'hui avec l'objet de ma plus
forte haine. Nulle chose ne m'était plus douloureuse que de
le voir vivre si longtemps. Un présent de ma part t'attend,
que tu recevras juste au bon moment. Ce service que tu
m'as rendu te sera très profitable, tu peux me croire. Maintenant je vais partir, je te recommande à Dieu, pour qu'il te
mette à l'abri des dangers. » Aussitôt la jeune fille s'en va,
quand l'un et l'autre se sont recommandés à Dieu. Mais
tous ceux qui ont assisté au combat sur la lande ont senti
monter en eux un sentiment de joie intense. Ils désarmè-
rent aussitôt le chevalier, avec des transports de joie, et
lui prodiguant toutes les marques d'honneur. Bientôt ils se

lavèrent les mains de nouveau, car ils étaient pressés de repasser à table; les voilà plus gais qu'ils n'étaient, aussi reprirent-ils le repas dans l'allégresse. Après un long repas, le vavasseur dit à son hôte assis à son côté: «Seigneur, il y a longtemps que nous sommes venus ici du royaume de Logres. C'est là-bas que nous sommes nés, aussi voudrions-nous bien que vous trouviez gloire, succès et joie en ce pays-ci; nous y trouverions aussi notre avantage, comme ce serait le cas pour beaucoup d'autres si vous rencontriez la gloire et le succès sur le chemin de cette aventure. — Dieu vous entende!» a-t-il répondu.

Une fois que le vavasseur eut fini de parler, l'un de ses fils reprit la parole: «Seigneur, nous devrions mettre toutes nos forces à votre service en pratiquant le don plutôt que la promesse. Si vous aviez besoin d'accepter notre aide, nous ne devrions pas attendre que vous nous la demandiez pour vous l'offrir. Seigneur, ne vous faites pas de souci pour la perte de votre cheval car nous avons ici des chevaux très robustes. Je désire que vous receviez de nous un dédommagement: vous emmènerez le meilleur cheval pour remplacer le vôtre, vous en avez bien besoin. — Bien volontiers», répond-il. Alors ils firent préparer les lits et allèrent se coucher. Dès le lever du jour, le lendemain matin, ils se levèrent et se préparèrent. Cela fait, ils se mirent en route. Au moment du départ le chevalier ne commit aucun impair, car il prit congé de la dame, du seigneur et de tous les autres. Mais je dois, pour ne rien omettre, vous raconter encore quelque chose: le chevalier ne voulut pas monter sur le cheval qu'on lui avait prêté en le lui amenant au seuil de la porte; il fit monter, je dois vous le dire, un des deux chevaliers qui étaient venus avec lui, et il prit en échange son cheval, car tel fut son bon plaisir. Une fois tout le monde en selle, ils se mirent en route tous les trois, ayant pris dans les formes congé de leur hôte qui les avait

servis et honorés autant qu'il était possible. Ils allèrent che-
minant sur la route la plus directe jusqu'à la chute du jour,
et ils arrivèrent au Pont de l'Épée vers le soir, passée la
neuvième heure[1]. À l'entrée de ce pont, qui était si terrible,
ils descendirent de leur cheval et regardèrent l'eau traî-
tresse, noire, bruyante, rapide et chargée, si laide et épou-
vantable que l'on aurait dit le fleuve du diable ; elle était si
périlleuse et profonde que toute créature de ce monde, si
elle y était tombée, aurait été aussi perdue que dans la mer
salée. Et le pont qui la traversait était bien différent de tous
les autres ponts ; on n'en a jamais vu, on n'en verra jamais
de tel. Si vous voulez savoir la vérité à ce sujet, il n'y a
jamais eu d'aussi mauvais pont, fait d'une aussi mauvaise
planche : c'était une épée aiguisée et étincelante qui formait
ce pont jeté au-dessus de l'eau froide ; mais l'épée, solide et
rigide, avait la longueur de deux lances. De part et d'autre
il y avait un grand pilier de bois où l'épée était clouée. Personne n'avait à craindre qu'elle se brise ou qu'elle plie, car
elle avait été si bien faite qu'elle pouvait supporter un lourd
fardeau. Mais ce qui achevait de démoraliser les deux compagnons qui étaient venus avec le chevalier, c'était l'apparition de deux lions, ou deux léopards, à la tête du pont de
l'autre côté de l'eau, attachés à une borne en pierre. L'eau,
le pont et les lions leur inspiraient une telle frayeur qu'ils
tremblaient de peur et disaient : « Seigneur, écoutez un
bon conseil sur ce que vous voyez, car vous en avez grand
besoin. Voilà un pont mal fait, mal assemblé, et bien mal
charpenté. Si vous ne vous repentez pas tant qu'il en est
encore temps, après il sera trop tard pour le faire. Il faut
montrer de la circonspection en plus d'une circonstance.
Admettons que vous soyez passé (hypothèse aussi invrai-

---

1. C'est-à-dire trois heures de l'après-midi.

semblable que d'empêcher les vents de souffler, les oiseaux de chanter, ou que de voir entrer un être humain dans le ventre de sa mère pour renaître ensuite ; une chose donc aussi impossible que de vider la mer). Comment pouvez-vous en toute certitude penser que ces deux lions enragés, enchaînés de l'autre côté, ne vont pas vous tuer, vous boire le sang des veines, manger votre chair et puis ronger vos os ? Il me faut déjà beaucoup de courage pour oser jeter les yeux sur eux et les regarder. Si vous ne vous méfiez pas ils vous tueront, sachez-le bien. Ils auront vite fait de vous briser et de vous arracher les membres, et ils seront sans merci. Mais allons, ayez pitié de vous-même, et restez avec nous ! Vous seriez coupable envers vous-même si vous vous mettiez si certainement en péril de mort, de propos délibéré. » Alors il leur répondit en riant : « Seigneurs, je vous sais gré de vous émouvoir ainsi pour moi ; c'est l'affection et la générosité qui vous inspirent. Je sais bien que vous ne souhaiteriez en aucune façon mon malheur ; mais ma foi en Dieu me fait croire qu'Il me protégera partout : je n'ai pas plus peur de ce pont ni de cette eau que de cette terre dure, et je vais risquer la traversée et m'y préparer. Plutôt mourir que faire demi-tour ! » Ils ne savent plus que dire, mais la pitié les fait pleurer et soupirer tous deux très durement. Quant à lui, il fait de son mieux pour se préparer à traverser le gouffre. Pour cela il prend d'étranges dispositions, car il dégarnit ses pieds et ses mains de leur armure : il n'arrivera pas indemne ni en bon état de l'autre côté ! Mais ainsi il se tiendra bien sur l'épée plus tranchante qu'une faux, de ses mains nues, et débarrassé de ce qui aurait pu gêner ses pieds : souliers, chausses et avant-pieds [1]. Il ne se laissait guère émouvoir par les blessures qu'il pourrait se

---

1. Bande d'étoffe protégeant le cou-de-pied.

faire aux mains et aux pieds; il préférait se mutiler que de tomber du pont et prendre un bain forcé dans cette eau dont il ne pourrait jamais sortir. Au prix de cette terrible douleur qu'il doit subir, et d'une grande peine, il commence la traversée; il se blesse aux mains, aux genoux, aux pieds, mais il trouve soulagement et guérison en Amour qui le conduit et mène, lui faisant trouver douce cette souffrance. S'aidant de ses mains, de ses pieds et de ses genoux, il fait tant et si bien qu'il arrive sur l'autre rive. Alors lui revient le souvenir des deux lions qu'il pensait avoir vus quand il était encore de l'autre côté; il cherche du regard, mais il n'y avait même pas un lézard, ni aucune créature susceptible de lui faire du mal. Il met sa main devant son visage pour regarder son anneau et il a la preuve, comme il n'y apparaît aucun des deux lions qu'il pensait avoir vus, qu'il a été victime d'un enchantement, car il n'y a là âme qui vive. Quant à ceux qui sont restés sur l'autre rive, voyant qu'il a ainsi traversé, ils se réjouissent comme il est bien normal; toutefois ils ne savent rien de ses blessures. Mais lui considère s'en être tiré à bon compte pour n'avoir pas subi là plus de dommage. Il étanche sur tout son corps le sang de ses blessures avec sa chemise. Alors il voit devant lui une tour si solidement construite qu'il n'en a jamais vu d'aussi impressionnante. À une fenêtre s'était appuyé le roi Bademagu qui était très subtil, avec un sens aigu de l'honneur et du bien, et dont le plus grand souci était de défendre et pratiquer partout la loyauté; mais son fils, qui mettait tout son zèle à faire tout le contraire en toute circonstance, prenant plaisir à se montrer déloyal, et ne se fatiguant ni ne s'ennuyant jamais dans le mal, la trahison et le crime, s'était appuyé à ses côtés. De leur observatoire ils avaient vu le chevalier passer le pont au prix de grandes souffrances et douleurs. La colère et la contrariété firent changer Méléagant de couleur. Il savait bien qu'on allait désormais lui disputer la reine ; mais c'était un chevalier qui par nature ne redoutait la force ni la fureur de personne, si grandes fussent-elles. Il aurait été le meilleur chevalier du monde s'il n'avait pas été traître et déloyal ; mais il avait un cœur de pierre, sans tendresse et sans pitié. Son père se satisfait et se réjouit de ce qui attriste beaucoup son fils. Le roi savait en toute certitude que celui qui avait traversé le pont était de beaucoup le plus courageux du monde ; car jamais ce passage n'aurait pu être tenté par une personne abritant en soi ce genre de lâcheté qui cause plus de honte à ses proches que la prouesse ne leur fait d'honneur. C'est que Prouesse n'a pas autant de pouvoir que Lâcheté et Paresse, car il est vrai, n'en doutez pas, qu'il est plus facile de mal agir que de bien faire.

J'aurais beaucoup à dire sur ces deux sujets, mais cela me prendrait trop de temps ; j'ai en tête une autre préoccupation et je retourne au texte de mon histoire ; vous allez entendre la façon dont le roi fait la leçon à son fils : « Fils, fait-il, ce fut par hasard que nous sommes venus, toi et moi, nous accouder à cette fenêtre ; nous avons été récompensés puisque nous avons pu assister au plus grand exploit qui ait jamais été réalisé, voire imaginé. Dis-moi, n'as-tu pas de reconnaissance pour l'auteur d'une action aussi extraordinaire ? Allons, accorde-toi et arrange-toi avec lui, rends-lui sans condition la reine ! Tu n'as rien de bon à attendre de cette lutte, elle peut au contraire présenter pour toi de graves inconvénients. Conduis-toi de façon à passer pour sage et courtois, et fais-lui conduire la reine avant qu'il ne te voie. Accueille-le sur ton territoire avec honneur en lui accordant ce qu'il est venu chercher avant qu'il ne te le demande. Car tu sais parfaitement bien que c'est la reine Guenièvre qu'il est venu chercher. Ne te fais pas tenir pour obstiné, fou, ou orgueilleux. S'il est venu seul sur ton territoire, alors tu dois lui tenir compagnie. La noblesse doit attirer la noblesse, l'honorer, l'entretenir gentiment, et non pas l'éloigner de soi. C'est en honorant qu'on se rend honorable. Sache bien que l'honneur sera pour toi si tu honores et aides celui qui est sans aucun doute le meilleur chevalier du monde. — Que Dieu me confonde, répond-il, s'il ne s'en trouve pas d'aussi bon, voire de meilleur. » Pourquoi l'a-t-on oublié, lui, Méléagant ? car il ne se juge pas inférieur à l'autre ! Et il ajoute : « Vous voulez sans doute qu'au garde-à-vous et mains jointes je devienne son vassal et lui rende hommage de ma terre ? Que Dieu me vienne en aide, je préférerais encore lui rendre hommage que de lui rendre la reine. Assurément, jamais je ne la lui rendrai ; au contraire je la disputerai et la défendrai contre tous ceux qui seront assez fous pour oser venir la chercher. » Alors le roi reprend son argumentation : « Fils, il serait courtois de ta part de renoncer à cette idée obstinée. Je te conseille et te prie de choisir une issue pacifique. Tu sais bien que ce sera une déception pour le chevalier de ne pas conquérir la reine en se battant avec toi. Il doit préférer, sans erreur possible, l'obtenir par les armes que par un geste de générosité, car ce sera mis au crédit de sa gloire. À mon avis, il ne demande pas une restitution pacifique, mais il veut l'obtenir par les armes. C'est pourquoi tu agirais sagement en le privant de sa bataille. Je regrette beaucoup de te voir ainsi déraisonner. Mais si tu méprises mon conseil, je me sentirai moins concerné s'il t'arrive malheur — et il risque bien de t'en arriver un grand —, car le chevalier n'a rien à craindre ici de personne, sauf de toi. Au nom de tous mes hommes et de moi-même, je lui accorde en effet la sauvegarde d'une trêve. Je n'ai jamais commis d'acte déloyal, ni de trahison, ni de félonie et je ne vais pas commencer pour toi, pas plus que pour un étranger. Je ne cherche pas à te déguiser la vérité, mais je fais au chevalier la promesse explicite que tout ce dont il aura besoin, armes ou chevaux, il l'obtiendra du moment qu'il a fait preuve d'un tel courage en venant jusqu'ici. Sa sécurité sera assurée et observée par tout le monde sauf par toi. Ce que je veux bien te faire comprendre, c'est que s'il peut te résister il n'a rien à craindre de personne d'autre. — J'ai tout le temps pour vous écouter et garder le silence, fait Méléagant, pendant que vous direz tout ce qu'il vous plaira ; mais que m'importe tout ce que vous dites ? Je ne suis pas un ermite, ni un saint plein de charité, et je ne tiens pas à la considération des gens au point de lui donner pour la mériter la personne que j'aime le plus. Il ne s'en tirera pas si rapidement ni si facilement. Les choses vont se passer tout autrement que vous et lui ne le pensez. Vous pouvez bien l'aider contre moi, ce n'est pas une raison pour nous fâcher. Si vous et vos gens observez une trêve et la paix, que m'importe ? Il en faut plus pour ébranler mon courage ; mais je suis très content, et Dieu en soit loué, qu'il n'ait que moi à redouter, et je vous demande de ne rien faire pour moi où l'on puisse soupçonner une intention déloyale ou quelque trahison. Soyez vertueux tant qu'il vous plaira, mais laissez-moi à ma cruauté. — Comment ? Tu ne voudrais pas agir autrement ? — Non, fait-il. — Alors je n'ai plus rien à dire. Maintenant fais de ton mieux, car je te laisse, et j'irai parler au chevalier. Je veux lui offrir aide et conseil en toute chose, car je suis entièrement de son côté. »

Alors le roi descendit de la tour et fit seller son cheval. On lui amena un grand destrier. Il mit le pied à l'étrier et monta, emmenant pour toute escorte trois chevaliers et deux hommes d'armes, qui partirent avec lui. Ils allèrent sans s'arrêter jusqu'au pont, où ils aperçurent le chevalier en train de panser ses plaies et d'en étancher le sang. Le roi pensa qu'il allait le garder longtemps chez lui pour guérir ses blessures, mais autant vouloir assécher la mer. Il se hâta de descendre de cheval, et le blessé s'est alors redressé pour l'accueillir, sans l'avoir reconnu, dissimulant le mal que lui faisaient ses pieds et ses mains, et se comportant comme s'il était parfaitement indemne. Le roi voyant les efforts qu'il faisait accourut vite pour le saluer, disant : « Seigneur, je suis très étonné de votre brusque arrivée chez nous, en ce pays. Mais soyez le bienvenu, car c'est un exploit qui restera sans exemple ; il n'est jamais arrivé et il n'arrivera jamais à personne d'avoir assez d'audace pour affronter semblable péril. Sachez-le, je vous estime davantage d'avoir réalisé un exploit que personne n'aurait seulement osé imaginer. Vous me trouverez aussi bien disposé envers vous que loyal et courtois. Je suis le roi de ce pays et je mets à votre entière disposition mon conseil et mon aide. Au reste, je me doute bien de l'objet de votre quête : c'est la reine, je crois, que vous cherchez. — Sire, vous l'avez deviné ; il n'y a aucune autre raison à ma venue ici. — Ami, vous risquez d'avoir à souffrir, fait le roi, avant de l'obtenir. Or vous êtes grièvement blessé ; je vois vos blessures tout ensanglantées. Vous ne rencontrerez pas chez celui qui l'a amenée ici une générosité telle qu'il vous la rende sans combat. Il vous faut plutôt du repos et des soins pour vos blessures jusqu'à leur complète guérison. Du baume aux trois Maries[1], ou un meilleur remède si possible, vous sera donné par mes soins, car je désire beaucoup votre rétablissement et votre guérison. La reine dans sa captivité bénéficie d'un régime de faveur car personne ne peut avoir de rapports charnels avec elle, pas même mon fils, son ravisseur, qui en est fort irrité. On n'a jamais vu un homme se mettre hors de lui et enrager comme il le fait. Cependant je suis de tout cœur avec vous et je vous donnerai volontiers, avec l'aide de

---

1. Dans le Nouveau Testament, trois saintes femmes auraient acheté des aromates afin de fabriquer des onguents pour embaumer le corps du Christ. Par extension : remède miraculeux contre les plaies.

Dieu, tout ce qu'il vous faut. Quelle que soit la qualité des armes dont disposera mon fils, je vous en donnerai — même s'il doit me le reprocher — d'aussi bonnes, avec le cheval dont vous aurez besoin. Et, en dépit des objections, je vous place sous ma protection envers et contre tous. Vous auriez tort de craindre qui que ce soit si ce n'est celui-là même qui a amené ici la reine. Jamais on n'a eu recours à autant de menaces que j'en ai utilisées à son égard, et peu s'en fallut que je ne le chasse de ma terre parce que je suis mécontent qu'il refuse de vous la rendre. Sans doute est-il mon fils ; mais vous n'avez pas de souci à avoir : s'il ne sort pas vainqueur du combat, il ne pourra pas contre ma volonté vous causer le moindre ennui. — Sire, répond-il, soyez-en remercié ! Mais je gaspille trop ici un temps précieux que je ne veux ni perdre ni gaspiller. Je ne me plains de rien, et je ne suis pas blessé au point d'être gêné. Conduisez-moi jus-qu'à lui, car avec ces armes mêmes, dans l'état où je les porte, je suis prêt à reprendre sur-le-champ le jeu des coups donnés et reçus. — Ami, il serait préférable pour vous d'attendre quinze jours ou trois semaines jusqu'à la guérison de vos blessures. Un délai d'au moins quinze jours vous serait profitable, car en ce qui me concerne je n'ac-cepterais à aucun prix (je ne supporterais pas ce spectacle) de vous laisser combattre devant moi ainsi armé et équipé. — Si vous l'aviez bien voulu, répond-il, il n'y aurait pas eu besoin d'autres armes pour que j'affronte la bataille, et je n'aurais pas demandé, même pour une heure, le moindre répit, délai, ou retard. Mais pour vous je consentirai à attendre jusqu'à demain ; et l'on perdrait son temps à plai-der encore pour que j'attende davantage. » Alors le roi l'a assuré qu'il se conformera à sa volonté, puis il l'a fait conduire à sa résidence en donnant pour instructions à ceux qui l'emmènent de mettre tout en œuvre pour le ser-vir, ce qu'ils firent scrupuleusement. Et le roi qui aurait bien voulu obtenir la paix, si c'était possible, retourna voir son fils et lui parla en se faisant l'avocat de la paix et de la concorde[1] : «Beau fils, dit-il, mets-toi d'accord avec ce chevalier sans combattre! Il n'est pas venu ici pour s'amuser, ni pour tirer à l'arc ou pour chasser, mais il est venu ici à la poursuite de sa gloire, voulant en accroître l'éclat et la renommée. Cependant il aurait grand besoin de repos, comme j'ai pu le constater. S'il avait écouté mon conseil il n'aurait ni ce mois-ci ni le suivant manifesté l'intention d'un combat dont il a pourtant déjà le plus vif désir. Si tu lui rends la reine, crains-tu le déshonneur? Chasse cette peur, tu ne risques pour cela aucun blâme. Mais c'est une faute que de retenir une chose contre la raison et le droit. Il aurait volontiers commencé tout de suite le combat, bien qu'il n'ait plus ni main ni pied intact, car ils sont tout entaillés et meurtris. — C'est folie que de vous agiter ainsi, dit Méléagant à son père. Jamais, par la foi que je dois à saint Pierre, je ne vous suivrai dans cette affaire. Vraiment je mériterais d'être écartelé si je vous croyais. Il soigne son honneur? Moi le mien! Il cherche sa gloire? Moi la mienne! Il veut à tout prix se battre? Eh bien, moi, cent fois plus! — Je vois que la folie t'attire, réplique le roi; eh bien, tu vas la rencontrer. Demain tu mesureras ta force à celle du chevalier, puisque tu le veux. — J'espère n'avoir jamais autre chose de plus grave à regretter que cette affaire! dit Méléagant. Si seulement je pouvais me battre tout de suite, au lieu d'avoir à attendre demain! Voyez ma mine, comme elle est plus déconfite que d'habitude! Les yeux m'en sont tout troublés, et j'ai l'air très abattu! Jusqu'à l'heure du combat je ne pourrai connaître ni joie, ni bonheur, ni bien-être, rien d'agréable ne peut m'arriver.»

---

1. Union de cœurs, de volontés. Bonne entente.

Le roi a compris qu'il rejette absolument tout conseil et toute prière. Il l'a donc quitté à regret, et ayant choisi un cheval très puissant et docile, et de belles armes, il les envoya au chevalier : un présent bien judicieux ! Il y avait là un homme très âgé, au demeurant fort bon chrétien — il n'y avait pas plus loyal au monde — et qui savait guérir les plaies mieux que tous les médecins de Montpellier[1]. Pendant la nuit, il soigna le chevalier du mieux qu'il put, conformément aux instructions du roi. Déjà la nouvelle s'était répandue parmi les chevaliers, les jeunes filles, les dames et les barons de tout le pays alentour. Ils vinrent de tous les environs, étrangers ou gens du pays, tous chevauchèrent au plus vite durant toute la nuit jusqu'au matin. Tout ce monde se retrouva devant la tour au lever du soleil en une foule si dense qu'on n'y pouvait plus remuer un pied. Le roi s'était levé de bon matin. Le combat le préoccupait beaucoup. Il est donc retourné voir son fils qui avait déjà lacé sur sa tête un heaume fabriqué à Poitiers. Il n'était plus question de retarder le combat, encore moins de faire la paix ; c'est pourtant ce que le roi lui a demandé avec insistance, mais impossible de la lui faire accorder. C'est devant la tour, au milieu de la place où la foule s'est rassemblée, qu'aura lieu le combat, selon la volonté et les instructions du roi. Il fait appeler le chevalier étranger, et on le lui amène sur la place remplie par les gens de Logres. De même que pour entendre les orgues les gens ont l'habitude d'aller à l'église pour une fête annuelle, que ce soit à la Pentecôte[2] ou à Noël, de même la foule s'était rassemblée tout entière. Pendant trois jours ils avaient jeûné, marchant pieds nus, en chemise, toutes les jeunes étrangères, originaires du royaume du roi

---

1. Ville réputée à l'époque pour l'enseignement de la médecine.
2. Fête chrétienne commémorant la descente du Saint Esprit sur les Apôtres.

Arthur, pour que Dieu donne force et vigueur à leur chevalier dans le combat qui devait l'opposer à son adversaire
pour la libération des captifs. De leur côté les gens du pays
priaient pour leur seigneur, afin que Dieu lui donne la victoire et l'honneur de la bataille. De bon matin, avant la première heure du jour, on a conduit sur la place les deux
combattants en armes et chacun sur un cheval couvert de
fer[1]. Méléagant avait noble et fière allure dans son haubert
aux mailles fines bien ajusté, sous son heaume et avec son
écu attaché à son cou : toute cette belle armure lui allait
fort bien. Mais tout le monde préférait l'autre chevalier,
même ceux qui auraient voulu sa défaite, et tous étaient
d'avis que Méléagant ne faisait pas le poids en face de
l'autre. Dès qu'ils furent arrivés tous les deux sur la place,
le roi vint vers eux pour les retenir, si possible ; il fit de son
mieux pour les mettre d'accord, mais il ne put fléchir son
fils. Alors il leur dit : « Tenez vos chevaux en bride au moins
jusqu'à ce que je sois monté sur la tour. Ce ne sera pas me
faire une trop grande faveur que de retarder le combat au
moins jusque-là. » Et puis il les quitta tout bouleversé et vint
directement là où il savait pouvoir trouver la reine ; elle
l'avait prié la veille au soir de la placer en un lieu lui permettant d'assister sans gêne au combat. Comme il lui avait
donné son accord, il alla la chercher pour la conduire, car il
tenait à lui rendre cet honneur et ce service. Il l'installa à
une fenêtre, et lui-même se plaça à sa droite, accoudé à une
autre fenêtre. Autour d'eux se trouvaient rassemblés en
grand nombre chevaliers et nobles dames des deux pays,
des jeunes filles nées au pays et beaucoup de captives
absorbées dans les prières et les oraisons. Prisonniers et
prisonnières priaient tous sans exception pour leur sei-

---

1. Le cheval peut être couvert d'une housse de mailles au combat.
Sorte de cotte de mailles.

gneur, comptant sur Dieu et sur lui pour les secourir et les délivrer. Les combattants firent alors reculer sans tarder toute la foule, et poussant les écus des coudes, ils passèrent les bras dans les courroies. Ils s'élancent avec une telle force qu'ils enfoncent leur lance dans l'écu de l'adversaire d'une profondeur de deux bras, si bien qu'elles volent en éclats et en miettes comme du petit bois. Les chevaux dans leur élan se sont heurtés de front et du poitrail, et les écus aussi, et les heaumes, faisant un vacarme qui fit penser à un fort coup de tonnerre ; il ne resta plus rien d'intact : poitrails, sangles, étriers, rênes et varangues, et les arçons, quoique robustes, furent arrachés des selles[1]. Il n'y avait pas de honte à tomber à terre après tous ces dégâts ! Ils furent vite sur pied pour reprendre le combat, sans bravades inutiles, plus farouchement que deux sangliers ; et ils s'assenèrent sans se perdre en menaces de grands coups de leurs épées d'acier, avec toutes les apparences d'une haine terrible. À plusieurs reprises ils entamèrent si rudement heaumes et hauberts luisants qu'avec le fer jaillit le sang. Ils se donnèrent si bien à la bataille qu'ils s'étourdirent et se blessèrent de leurs coups pesants et traîtres. Leurs assauts sauvages, durs et prolongés, les mettaient à égalité, sans que l'on pût encore décider qui gagnait, qui perdait. Mais on ne pouvait éviter que celui qui était passé sur le pont ne se ressentît des blessures qu'il avait aux mains. Cela suscitait une forte émotion chez les spectateurs qui lui étaient favorables. Voyant que ses coups faiblissaient, ils craignirent qu'il n'en fût handicapé. Déjà ils avaient l'impression qu'il avait le dessous et Méléagant le dessus, et la rumeur s'en répandait à la ronde. Mais il y avait aux fenêtres une jeune fille très sensée qui réfléchit et se dit que le chevalier n'avait

---

1. Pièces qui constituent le harnais du cheval.

certainement pas affronté la bataille pour elle, ni pour
l'humble foule des spectateurs rassemblés sur la place, et
que s'il l'avait entreprise, ce ne pouvait être que pour la
reine. Elle pensa que s'il la savait à la fenêtre où elle se trouvait, en train de le regarder et de le contempler, il en
reprendrait force et courage, et que si elle avait connu son
nom elle l'aurait volontiers appelé pour qu'il jette là un bref
regard. Alors elle vint trouver la reine et lui dit : « Dame,
par Dieu je vous demande, pour votre bien comme pour le
nôtre, de me dire le nom de ce chevalier, ce qui pourra l'aider, si vous le connaissez. — Votre requête, demoiselle,
répondit la reine, ne me paraît inspirée ni par la haine ni par
quelque sombre machination, mais par le souci de son intérêt. Lancelot du Lac, tel est le nom du chevalier, autant que
je sache. — Dieu ! Comme mon cœur, soulagé, en bondit
de joie ! » dit la jeune fille. Alors elle s'avança puis cria si
fort que toute la foule entendit sa voix très haute appeler :
« Lancelot ! Retourne-toi et regarde qui est là, les yeux fixés
sur toi ! »

Quand Lancelot entendit son nom, il n'attendit pas pour
se retourner : derrière lui il vit, là-haut, la personne qu'au
monde il désirait le plus pouvoir regarder, assise aux loges
de la tour. De l'instant où il s'en rendit compte, il ne
détourna ni ne bougea son regard ni sa tête, mais il se
défendit par-derrière. Et Méléagant cependant le pressait
du mieux qu'il pouvait, tout heureux à la pensée qu'il ne
pourrait plus se défendre contre lui. Ceux du pays s'en
réjouirent, mais les autres furent si consternés qu'ils n'avaient
plus de jambes, nombreux étant ceux qui, éperdus, tombè-
rent à terre à genoux, ou allongés. D'un côté c'est la joie,
de l'autre la douleur. Alors la jeune fille de nouveau l'appela
de la fenêtre : « Ah ! Lancelot ! Est-il possible que tu te com-
portes si stupidement ? Jusqu'alors tu avais en toi toutes les

qualités de la prouesse ; j'ai la ferme conviction que jamais Dieu ne fit un chevalier qui pût se mesurer à ta valeur et à ta gloire. Et à présent nous te voyons si empoté que tu t'escrimes mains en arrière et combats en tournant le dos à l'adversaire ! Retourne-toi et passe de l'autre côté de manière à avoir toujours cette tour sous les yeux, car il fait bon la regarder ! » Lancelot ressent comme un déshonneur et une infamie, assez graves pour qu'il s'en méprise, d'avoir été le plus faible au combat ; tous et toutes l'ont bien remarqué. Alors il fait un bond en arrière et, contournant Méléagant, il le force à se tenir entre la tour et lui. Méléagant essaie de revenir de l'autre côté ; mais Lancelot s'élance contre lui et il le heurte si violemment de tout son poids avec son écu, quand il veut s'écarter, qu'il le fait chanceler à deux ou trois reprises, quoi qu'il lui en coûte. Et sa force et son audace grandissent sous l'effet d'Amour qui lui apporte un grand secours, et de la haine sans égale qu'il a conçue pour son adversaire en ce combat. Amour et cette haine mortelle, si grande qu'il n'y en a jamais eu de telle, le rendent si farouche et courageux que Méléagant ne le prend plus du tout à la légère, mais est saisi devant lui d'une crainte terrible, car jamais il n'avait rencontré ni connu un chevalier si hardi, et jamais aucun chevalier ne l'avait éprouvé ni malmené autant que celui-ci. Il cherche plutôt à prendre de la distance, il se dérobe, et fait des feintes, car il n'aime pas ses coups mais les évite. Or Lancelot ne s'en tient pas aux menaces mais, en le frappant, le chasse vers la tour où la reine est en observation. À plusieurs reprises il a rendu hommage à celle-ci et marqué son allégeance en amenant son adversaire à proximité, à la limite où il lui fallait s'arrêter car, un pas de plus, et il aurait cessé de la voir. C'est ainsi que Lancelot, à plusieurs reprises, repoussait son adversaire en arrière, en avant, partout où il le jugeait bon,

sans manquer de s'arrêter devant sa dame, la reine, qui lui
a mis au corps la flamme à force d'être regardée ; et cette
flamme lui donnait tant d'ardeur contre Méléagant que partout où il voulait il pouvait le repousser et le chasser. Il le
mène comme un aveugle ou un éclopé, malgré qu'il en ait.
Le roi voit son fils si mal en point qu'il n'a plus de ressource
pour se défendre. Il en ressent de la peine et de la compas-
sion. Il va chercher un moyen d'y remédier. Mais il lui faut
pour bien s'y prendre supplier la reine. Alors il a commencé
à lui parler en ces termes : « Dame, je vous ai témoigné
beaucoup d'amitié, sans cesser de vous servir et de vous
honorer depuis que je vous ai reçue sous mon autorité.
Tout ce que j'ai pu faire pour vous je l'ai fait à l'avantage de
votre honneur. Maintenant accordez-m'en la récompense.
Je vais vous demander une faveur que vous ne devriez m'accorder que par pure amitié. Je vois bien que dans ce combat mon fils a le dessous, il n'y a pas de doute. Si je vous
adresse une prière à ce sujet ce n'est pas par dépit, mais
pour éviter que Lancelot ne le tue, car il en a le pouvoir. Et
si vous devez aussi vouloir l'éviter, ce n'est pas qu'il ne l'ait
bien mérité par sa conduite envers vous comme envers
Lancelot, mais dites-lui pour moi — accordez-moi cette
grâce, je vous en prie — d'arrêter le combat. C'est ainsi
que vous pourriez me rendre tout le bien que j'ai pu vous
faire, si vous le jugiez bon. — Beau sire, puisque vous m'en
priez, je le veux bien, répond la reine. Même si j'éprouvais
une haine mortelle envers votre fils, qu'en fait je n'aime pas,
vous m'avez rendu de tels services que pour vous être
agréable je veux bien que Lancelot arrête le combat. » Ces
paroles ne furent pas prononcées à voix basse, mais Lancelot et Méléagant les ont bien entendues. Celui qui aime se
montre obéissant et s'empresse de se conformer, s'il est
parfait ami, au désir de son amie. Il fallait donc bien que
Lancelot obéisse, puisqu'il était plus amoureux que ne le fut

Pyrame[1], si jamais homme a pu aimer mieux que lui. Lancelot a bien entendu les paroles de son amie. Dès que le dernier mot fut sorti de sa bouche, quand elle eut dit : « Puisque
vous voulez qu'il s'arrête, je le veux bien », Lancelot pour
rien au monde n'aurait touché son adversaire ni n'aurait
bougé, même au péril de sa propre vie. Il ne le touche ni ne
bouge tandis que l'autre le frappe de toutes ses forces,
transporté de colère et de honte quand il se voit réduit au
point qu'il faille qu'on intercède pour lui. Quant au roi, il est
descendu de la tour pour le réprimander ; il s'est avancé sur
le lieu du combat et, aussitôt, apostrophant son fils : « Comment ? dit-il, est-il convenable que tu le frappes alors qu'il
s'abstient de te porter des coups ? Tu es vraiment d'une
sauvagerie trop cruelle, et tu fais trop le brave quand il n'est
plus temps. Car il est évident pour tout le monde que c'est
lui le plus fort. » Alors Méléagant égaré par la honte répliqua au roi : « Peut-être êtes-vous aveugle ? Que je sache,
vous n'y voyez goutte ; il est aveugle celui qui doute que ce
soit moi le plus fort. — Eh bien, cherche quelqu'un qui te
croie ! Tous les spectateurs savent bien si tu dis vrai ou si
tu mens. Nous savons bien où est la vérité. » Alors le roi
donne l'ordre à ses barons de le faire reculer. Et eux, sans
délai, exécutent son ordre : ils ont fait reculer Méléagant.
Mais pour faire reculer Lancelot il ne fut pas nécessaire
d'avoir recours à la force, car l'autre aurait pu lui faire beaucoup de mal avant qu'il ne riposte. Alors le roi dit à son fils :
« Que Dieu m'assiste, mais maintenant il te faut faire la paix
et relâcher la reine. Il te faut renoncer à toute cette dispute
et clore le litige[2]. — Vous venez de dire une fameuse

---

1. Héros d'une légende babylonienne. Il se tua, persuadé qu'une
lionne avait dévoré son amie Thisbé. Celle-ci, bien vivante mais arri-
vant trop tard, se tua à son tour.
2. Contestation en justice, procès.

bêtise! Je viens d'entendre une argumentation sans objet! Fuyez! Laissez-nous donc nous battre, et ne vous en mêlez plus!» Mais le roi répondit qu'il ne s'en priverait pas: «Car je sais bien que cet homme te tuerait si l'on vous laissait vous battre. — Il me tuerait? Disons plutôt que j'aurais vite fait de le tuer, et je serais vite le vainqueur si vous ne nous gêniez pas mais nous laissiez nous battre. — Sur mon salut, dit alors le roi, tout ce que tu dis restera sans effet. — Et pourquoi? — Parce que je ne veux pas. Je ne me fierai ni à ta folie ni à ton orgueil qui te conduiraient à la mort. Il est bien fou celui qui désire sa propre mort comme tu le fais, par inconscience! Et je sais bien que tu me détestes parce que je veux t'en défendre. Mais jamais Dieu ne me laissera assister au spectacle de ta mort, du moins je le souhaite, car j'en éprouverais une trop grande douleur.» Finalement, à force d'arguments et de remontrances, on arrive à un accord sur la paix. Les termes de cet accord prévoient que, comme le roi le demande, Méléagant rende sa liberté à la reine à condition que Lancelot, sans faute, à l'heure et au jour qu'il lui assignera, après un délai d'un an vienne se battre de nouveau avec lui. Lancelot n'y voit aucun inconvénient. Alors tout le public se rallie à cet accord, et l'on décide que la bataille aura lieu à la cour du roi Arthur, qui règne sur la Bretagne et la Cornouaille. On décide que tel sera le lieu de la rencontre, mais il faut que la reine donne son accord et Lancelot, sa parole en sorte que, si Méléagant le réduit à sa merci, elle reviendra avec lui sans que personne puisse s'y opposer. La reine accepte cette clause et Lancelot s'y rallie. C'est sur cette base qu'on les a mis d'accord, séparés et désarmés.

La coutume établie au pays voulait que, si quelqu'un en sortait, tous les autres auraient la liberté d'en sortir. Tous bénissaient donc Lancelot, et vous pouvez bien imaginer la joie qui devait régner alors, et qui effectivement régna.

Tous les étrangers se rassemblèrent pour fêter Lancelot, et ils dirent en chœur de manière à être entendus de lui : « Seigneur, vraiment grande fut notre joie quand nous entendîmes votre nom, car dès lors nous fûmes certains d'être bientôt délivrés. » Cette réjouissance provoqua un attroupement considérable, car chacun cherchait avec empressement un moyen de parvenir à lui pour le toucher. Plus on pouvait s'en approcher, plus on était envahi d'un bonheur inexprimable. En cette occasion il y eut à la fois beaucoup de joie et de tristesse, car ceux qui étaient libérés s'abandonnaient à leur joie, tandis que Méléagant et les siens n'avaient rien de ce qu'ils voulaient mais restaient plongés dans leurs pensées sombres et moroses. Le roi quitta la place sans oublier Lancelot qu'il emmena avec lui : ce dernier le pria de le conduire à la reine. « Ce n'est pas moi qui m'y opposerai, dit le roi, car cette démarche s'impose ; et je vous montrerai en même temps le sénéchal Keu, si bon vous semble. » Pour un peu Lancelot se serait jeté à ses pieds, si grande était sa joie. Le roi le conduisit aussitôt dans la grande salle où la reine était venue l'attendre.

En apercevant Bademagu qui tenait Lancelot par le doigt, elle se leva pour saluer le roi, mais montra un visage courroucé, baissant la tête sans dire un mot. « Madame, voici Lancelot qui vient vous voir, fait le roi ; c'est une visite qui doit vous sembler bien agréable et opportune. — À moi, sire ? Il ne peut pas me plaire ; je n'ai que faire de sa visite. — Eh là, Madame ! dit le roi qui était noble et courtois, d'où vous vient maintenant ce sentiment ? Vraiment c'est trop mépriser un homme qui vous a si bien servie, car dans cette aventure il a souvent exposé sa vie à de mortels dangers ; et il vous a porté secours et protection contre mon fils Méléagant, lequel ne vous a relâchée que bien à contre-cœur. — Sire, il a vraiment perdu son temps. Je ne saurais nier que je ne lui en suis pas reconnaissante. » Voilà Lancelot tout désemparé. Il lui répond avec beaucoup d'élégance comme doit le faire un parfait amant : « Madame, j'en suis, il est vrai, fort affligé, mais je n'ose vous en demander la raison. »

Lancelot aurait eu de quoi se lamenter si la reine avait bien voulu l'écouter ; mais pour ajouter à sa douleur et à sa confusion, elle refusa de lui répondre un seul mot et se retira dans une chambre. Et Lancelot la suivit des yeux et du cœur jusqu'à l'entrée, mais pour les yeux le voyage parut bien court car la chambre était trop proche ; et ils seraient entrés avec elle bien volontiers, si c'eût été possible. Le cœur qui a plus de noblesse et d'autorité, et dispose de plus de pouvoir, est passé de l'autre côté derrière elle, tandis que les yeux sont restés dehors, pleins de larmes, avec le corps. Alors le roi, le prenant à part, lui dit : « Lancelot, je me demande bien ce que cela signifie, et pour quelle raison la reine ne peut vous voir et ne veut vous parler. Si jamais elle avait l'habitude de vous parler, elle ne devrait pas maintenant s'y opposer, ni rejeter votre conversation, après tout ce que vous avez fait pour elle. Mais dites-moi si vous savez pour quelle affaire, pour quel méfait elle vous a réservé un tel accueil ? — Sire, il y a un instant encore je ne m'y attendais pas. Mais elle n'a pas envie de me voir, ni d'écouter ce que je pourrais lui dire ; cela me tourmente fort et m'accable. — Elle a certainement tort, dit le roi, car vous avez risqué votre vie en courant pour elle l'aventure. Venez donc, beau doux ami, vous irez parler au sénéchal. — C'est bien là que je veux aller », répond-il. Ils vont donc trouver le sénéchal. Quand Lancelot fut arrivé devant lui, le sénéchal lui lança d'entrée de jeu : « Comme tu m'as couvert de honte ! — Moi, et pourquoi ? répondit Lancelot ; dites-moi, quelle honte ai-je bien pu vous causer ? — Une bien grande, car tu es venu à bout de l'entreprise que je n'ai pu achever, tu as fait ce que je n'ai pu faire. »

Alors le roi les laisse ensemble, et il sort seul de la chambre, tandis que Lancelot demande au sénéchal s'il a beaucoup souffert. «Oui, répondit-il, et je souffre encore; jamais je n'ai eu aussi mal; il y a longtemps que je serais mort sans le roi qui vient de sortir, car dans sa miséricorde il m'a témoigné tant de douce amitié que, chaque fois qu'il en était informé, si j'avais besoin de quelque chose je ne manquais pas de l'obtenir : toutes dispositions étaient prises à la première nouvelle qu'il en recevait. Mais pour contrer tout le bien qu'il me faisait, son fils, inversement, plein de ruse maligne, convoquait les médecins, et leur donnait l'ordre de mettre sur mes blessures des onguents mortels. J'avais ainsi à la fois un père et un parâtre[1], car tandis que le roi me faisait appliquer un bon pansement sur mes blessures, voulant faire tout son possible pour que je guérisse rapidement, son fils, traîtreusement, voulant me faire mourir, le faisait retirer aussitôt et remplacer par un onguent nocif. Mais je suis convaincu que le roi l'ignorait, car il n'aurait pas toléré un assassinat aussi pervers. Mais vous ne savez pas la faveur qu'il a accordée à ma dame; jamais sentinelle n'a monté aussi bien la garde à la tour d'une frontière depuis le temps où Noé a fait l'arche comme on l'a fait pour protéger ma dame, car il ne la laisse même pas voir à son fils, ce qui le contrarie beaucoup, sinon devant un public officiel ou en sa propre présence. Il lui témoigne encore comme il lui a témoigné jusqu'ici, ce noble roi et grâces lui en soient rendues, tous les égards auxquels elle a pu prétendre. C'est elle-même et personne d'autre qui en a établi le protocole, et le roi n'a pu que l'estimer davantage, découvrant en elle tant de loyauté. Mais est-il vrai, comme on me l'a dit, qu'elle est si irritée contre vous qu'elle a publiquement refusé de

---

1. Beau-père.

vous adresser la parole ? — On vous a dit la vérité, fait Lancelot, c'est absolument vrai ! Mais, mon Dieu, pourriez-vous
me dire pourquoi elle me hait ? » Et l'autre répond qu'il n'en
sait rien, mais qu'il trouve cela très étrange. « Qu'il en soit
selon sa volonté », dit Lancelot qui n'en peut mais, et il
ajoute : « Je dois prendre congé, car je vais partir en quête
de monseigneur Gauvain, qui lui aussi est entré dans ce
pays ; il était convenu entre nous qu'il se dirigerait droit
vers le Pont sous l'Eau. » Alors, quittant la chambre, il est
venu trouver le roi pour prendre congé en vue de ce voyage.
Le roi lui donna volontiers son accord ; mais ceux qu'il avait
délivrés en mettant fin à leur captivité lui demandèrent ce
qu'ils allaient faire. Il leur répondit : « Je prendrai avec moi
tous ceux qui voudront venir ; quant à ceux qui voudront
tenir compagnie à la reine, ils n'auront qu'à le faire car il n'y
a pas de raison qui les oblige à venir avec moi. » Partent
donc avec lui tous ceux qui le veulent, avec une joie et un
enthousiasme inhabituels. Avec la reine restent les jeunes
filles, toutes joyeuses, les dames et de nombreux chevaliers ; pourtant personne n'aurait voulu rester sur place car
chacun aurait préféré rentrer au pays plutôt que de prolonger le séjour. Mais c'est la reine qui les a retenus à cause
de Gauvain qui devait arriver, elle a dit qu'elle ne bougerait
pas tant qu'elle n'aurait pas de ses nouvelles.

Partout se répand la nouvelle que la reine est libre, et
que tous les prisonniers sont libérés et ont l'autorisation de
partir quand il leur plaira et quand bon leur semblera. Chacun se renseigne auprès de l'autre, et ce fut l'unique sujet
de conversation dans les réunions. Ils ne furent pas fâchés
que les redoutables postes de contrôle fussent démantelés,
si bien qu'on pouvait aller et venir comme on voulait : les
conditions avaient bien changé ! Mais quand les gens du pays
qui n'avaient pas assisté à la bataille apprirent comment
Lancelot s'en était tiré, tous se rendirent sur le chemin

qu'il devait emprunter ; car ils s'imaginaient que le roi serait content s'ils s'emparaient de Lancelot et le lui ramenaient. Ses gens à lui, qui avaient négligé de s'armer, furent malmenés par ceux du pays qui, eux, arrivaient en armes. Dès lors il ne faut pas s'étonner qu'ils aient pu prendre Lancelot qui lui aussi se trouvait sans armes. Ils le ramenèrent captif vers l'arrière, les pieds attachés sous le ventre de son cheval. Ses gens protestèrent : « Vous commettez une mauvaise action, seigneurs, car nous avons le sauf-conduit du roi. Nous avons tous sa garantie. — Nous ne sommes pas au courant, répliquèrent les autres, mais dans l'état où vous avez été pris il vous faudra venir à la cour. » La rumeur, qui vite vole et court, vient apprendre au roi que ses gens ont pris Lancelot et l'ont tué. Entendant cela, le roi est accablé ; il jure, non sur sa tête, mais sur ce qu'il a de plus précieux encore, que ceux qui l'ont tué en mourront à leur tour, sans défense possible, car s'il peut les attraper et les prendre il n'y aura plus qu'à choisir entre la pendaison, le bûcher et la noyade. Ils auront beau nier leur crime, il ne risquera pas de se laisser convaincre, avec la grande douleur qu'ils lui ont mise au cœur, et la grave honte du méfait qui rejaillirait sur lui s'il n'en prenait pas vengeance ; mais il la prendra, qu'on n'en doute pas !

La rumeur continuant son chemin est rapportée à la reine alors qu'elle était à table. Pour un peu elle se serait tuée à l'instant même où elle apprit cette fausse nouvelle. C'est qu'elle la crut vraie, et sous le coup de l'émotion peu s'en fallut qu'elle perdît la parole. Mais elle dit tout haut en s'adressant à l'assistance : « Je suis vraiment peinée par cette mort, et si j'éprouve de la peine, ce n'est que justice car il est venu en ce pays pour moi : c'est pour cette raison que je dois ressentir de la peine. » Puis elle se dit tout bas, de manière à ne pas être entendue, qu'il ne faudra plus lui demander de boire ni de manger s'il est vrai qu'est mort

celui dont la vie donnait un sens à la sienne. Aussitôt, douloureuse, elle se lève de table pour se lamenter sans être
entendue ni surprise par personne. Elle est si follement
poussée à se tuer qu'à plusieurs reprises elle se prend à la
gorge. Mais avant elle veut se confesser à elle-même, avec
repentir et remords pour sa faute, se blâmant, s'accusant
sévèrement du péché commis à l'égard de celui dont elle
savait qu'il avait été toujours à elle et le serait encore s'il
était vivant. Elle regrette si fort d'avoir été cruelle que sa
beauté en est très altérée. Sa cruauté, sa félonie lui assom-
brissent le visage, le ternissent même à force de veiller et
de jeûner. Récapitulant tous ses méfaits, alors qu'ils lui
reviennent en mémoire, elle se les rappelle tous et ne cesse
de dire : « Hélas ! quelle idée m'est venue, lorsque mon ami
se présenta devant moi, de ne pas daigner lui témoigner ma
joie, ni même de l'entendre ! Quand je lui refusai de me voir
et de m'entendre, ne me suis-je pas comportée comme une
folle ? Une folle ? Disons plutôt, ma foi, une cruelle traî-
tresse. Je ne pensai pourtant le faire que par plaisanterie,
mais il ne vit pas le fait de cette façon et il ne me l'a pas pardonné. Personne d'autre que moi ne lui a donné le coup
mortel, que je sache. Quand il vint devant moi en riant, persuadé que je lui témoignerais ma grande joie, que je lui
accorderais un entretien, alors que je le bannis de ma vue,
est-ce que cela n'a pas été un coup mortel ? Quand je lui
ai refusé ma conversation, je le privai du même coup, je
pense, de son cœur et de la vie. C'est ce double coup qui
l'a tué, il me semble, ne cherchons pas d'autres assassins.
Eh ! Dieu ! Est-il possible de racheter ce meurtre, ce péché ?
Non, vraiment, pas avant que tous les fleuves ne soient taris
et la mer asséchée ! Hélas ! Comme je serais plus tranquille,
et quel réconfort ce serait pour moi si une seule fois avant
sa mort j'avais eu l'occasion de le tenir entre mes bras. De
quelle manière ? Eh bien, tout nus l'un et l'autre pour jouir

d'un plus grand bonheur. Maintenant qu'il est mort, il faut être mauvaise pour ne pas tout faire pour mourir aussi… Mais au fond pourquoi ? Est-ce que cela fait du tort à mon ami si je reste vivante après sa mort sans cultiver d'autre passion que dans les souffrances que j'endure pour lui ? Si c'est là mon divertissement après sa mort, certes il eût apprécié, vivant, de me voir désirer ainsi souffrir pour lui. Il faut être mauvaise pour préférer la mort à la souffrance pour son ami. Mais quant à moi, certes, mon plus grand plaisir est de prolonger cette douleur. Les coups supportés dans la vie ont plus de mérite que le repos de la mort. » La reine mena ce deuil pendant deux jours sans manger ni boire, et finalement on pensa qu'elle était morte. On trouve toujours des gens pour colporter des nouvelles, les mauvaises plutôt que les bonnes. C'est ainsi qu'on annonça à Lancelot que sa dame et amie était morte. Il en fut accablé, n'en doutez pas. Tout le monde comprendra bien le poids de sa tristesse et de sa douleur. Il fut en fait à ce point accablé que, si vous voulez entendre et connaître la vérité, il en vint à mépriser sa vie. Il voulut se suicider sans délai, mais auparavant il fit entendre ses plaintes. Il prit la ceinture qu'il avait autour de sa taille pour lui faire un nœud coulant à une extrémité tout en se lamentant, les larmes aux yeux : « Ah ! Mort ! Tu as su me prendre en défaut ! Tu me rends malade en pleine santé ! Je suis malade, et pourtant je n'éprouve aucun mal sauf cette douleur qui me tombe sur le cœur. Cette douleur est dangereuse, voire mortelle. Soit, je veux bien qu'elle soit telle et, s'il plaît à Dieu, j'en mourrai. Comment ? N'y a-t-il pas d'autre façon de mourir, si celle-ci ne plaît à Dieu ? Si, pourvu qu'il me laisse serrer ce nœud coulant autour de ma gorge, car c'est ainsi que je pense forcer la Mort à me tuer malgré elle, cette Mort qui n'a jamais désiré que ceux qui ne veulent pas d'elle ne veut pas venir, mais ma ceinture me l'amènera captive, et une fois en mon pouvoir elle fera tout ce que je voudrai. Oui, mais elle mettra pour moi trop de temps à venir : je suis si impatient de l'avoir ! » Alors, sans autre attente ni délai, il fait passer sa tête dans le nœud coulant qu'il ajuste à son cou. Et pour bien préparer son malheur il attache solidement l'autre bout de la ceinture à l'arçon de sa selle sans que personne ne s'en rende compte. Puis il se laisse glisser à terre. Il veut se faire traîner par son cheval pour mourir étranglé ; il ne daigne pas vivre une heure de plus. En le voyant tombé à terre, ceux qui chevauchaient avec lui pensèrent qu'il était évanoui, car personne n'aperçut le lacet dont il avait serré son cou. Aussitôt ils l'ont redressé en le prenant dans leurs bras pour le relever, et c'est ainsi qu'ils ont découvert le lacet dont il avait fait son ennemi en le passant autour de son cou. Ils s'empressent de le trancher. Mais le lacet avait infligé à sa gorge une telle punition qu'il resta un bon moment sans pouvoir parler. Il s'en fallut de peu que toutes les veines du cou et de la gorge ne fussent rompues. Après cela, quand bien même il l'aurait voulu, il n'eut plus la possibilité de se faire du mal. Il ne supportait pas d'être surveillé, et il se consumait presque de fureur : il aurait en effet bien voulu se tuer, si personne n'y avait prêté garde. Mais comme il ne pouvait plus se faire de mal, il se dit : « Ah ! vile Mort méprisable. Mort, par Dieu, n'avais-tu donc pas assez de pouvoir et de force pour me tuer à la place de ma dame ? Peut-être est-ce pour éviter une bonne action que tu n'as pas daigné le faire ? Tu m'as épargné par traîtrise, on ne pourra en juger autrement. Ah ! quel service et quelle bonté ! Comme tu as bien choisi ton but ! Maudit soit celui qui t'en remerciera ou t'en saura gré ! Je ne sais quel est mon plus grand ennemi, la Vie qui me désire, ou la Mort qui ne veut pas m'occire ! L'une et l'autre veulent ma perte. Mais il est juste, par Dieu, que je vive contre mon gré, car j'aurais dû me tuer aussitôt que ma dame me fit

apparaître sa haine. Ce n'était pas sans raison, il y avait sans
doute une explication, mais je ne sais pas laquelle. Si je
l'avais su, avant que son âme n'allât devant Dieu je lui aurais
fait réparation avec tout l'éclat qui lui aurait convenu, pourvu
qu'elle ait un peu pitié de moi. Dieu, ce forfait, qu'a-t-il bien
pu être ? Sans doute a-t-elle appris, je l'imagine, que je suis
monté sur la charrette. Je ne vois pas ce qu'elle aurait d'autre
à me reprocher. C'est cela qui m'a trahi. Mais si c'est la raison de sa haine, Dieu ! ce forfait, pourquoi m'a-t-il perdu ? Il
faut bien mal connaître Amour pour m'en faire un grief[1].
Jamais bouche d'homme ne pourrait nommer un acte qui,
inspiré par Amour, mériterait le blâme. Relève de l'amour
et de la courtoisie tout ce qu'on peut faire pour son amie.
Mais je ne l'ai pas fait exactement pour mon amie. Je ne sais
comment l'appeler, hélas ! Je ne sais si je dois dire "amie"
ou non, je n'ose pas lui donner ce surnom. Mais selon tout
ce que je connais en amour, elle n'aurait pas dû me mépriser, si elle m'aimait, mais au contraire me tenir pour son
ami véritable, puisque je considérais comme honorable de
faire tout ce que veut Amour, même de monter sur la charrette. Elle aurait dû mettre cela au compte de l'amour car
c'en est la pierre de touche. C'est ainsi qu'Amour met les
siens à l'épreuve, c'est ainsi qu'Amour reconnaît les siens.
Mais ma dame n'a pas apprécié cette façon de la servir, je
m'en suis bien rendu compte à l'accueil qu'elle m'a réservé.
Et pourtant son ami a encouru pour elle, de la part de bien
des gens, honte, reproche et blâme. J'ai accepté de jouer ce
jeu dont on me blâme et de recevoir, au lieu de douces
paroles, des propos amers, car ma foi, c'est la réaction
habituelle de ceux qui ne connaissent rien à l'amour et qui
lavent l'honneur dans la honte ; mais qui plonge l'honneur

---

1. Motif de plainte.

dans la honte ne le lave pas, il le souille. Or ils sont mal ini-
tiés à Amour ceux qui multiplient les propos méprisants, et
ils lui sont d'autant plus infidèles qu'ils n'en respectent pas
les commandements. Car, à coup sûr, il accroît son mérite
celui qui fait ce qu'Amour commande ; dans ce cas tout lui
sera pardonné ; au contraire celui qui n'ose pas le faire est
coupable de trahison. »

Ainsi se lamente Lancelot, et c'est avec tristesse que ses
gens à ses côtés le gardent et le retiennent. Sur ces entrefaites arrive la nouvelle que la reine n'est pas morte. Voilà
aussitôt Lancelot consolé, et s'il avait auparavant déploré sa
mort longuement, sauvagement, vigoureusement, il se réjouit
cent mille fois plus encore de la savoir en vie. Et quand ils
arrivèrent à six ou sept lieues du séjour qui abritait le roi
Bademagu, on lui rapporta sur Lancelot cette nouvelle qui
lui fut très agréable et qu'il entendit volontiers, à savoir qu'il
était vivant et arrivait sain et sauf. Il tira délicatement parti
de cette nouvelle, car il l'alla rapporter à la reine. Alors elle
lui répondit : « Beau sire, puisque vous le dites, je le crois.
Mais s'il était mort je vous garantis que je n'aurais plus
jamais été heureuse. J'aurais bien perdu toute joie si un chevalier en me servant avait reçu et accepté la mort. »

Alors le roi la quitte, et la reine est très impatiente de
retrouver, avec son ami, sa joie. Il n'est plus question de lui
chercher querelle pour quoi que ce soit. Or la rumeur qui
ne se repose jamais, mais court toujours, apportant des
nouvelles, vint apprendre à la reine que Lancelot se serait
tué pour elle si on lui en avait laissé le loisir. Cette rumeur
la réjouit et elle y ajouta foi, mais pour rien au monde elle
n'aurait voulu qu'il le fît car c'eût été un trop grand malheur
pour elle. Entre-temps est arrivé Lancelot qui s'était dépê-
ché le plus possible. Dès que le roi l'aperçut, il courut l'em-
brasser. Il lui semblait qu'il allait voler tant sa joie le rendait
léger. Mais ce qui mit bientôt un terme à la réjouissance,

c'est le sort de ceux qui l'ont pris et attaché. Le roi leur dit qu'ils regretteront d'être venus, qu'ils peuvent se considérer comme morts et exterminés. Alors ils dirent pour toute excuse qu'ils pensaient lui faire plaisir. « Cela me déplaît, si vous avez trouvé cela bien, répondit le roi ; cela ne concerne pas Lancelot, car ce n'est pas à lui que vous avez porté préjudice, mais à moi qui lui avais donné sauf-conduit. Quoi qu'il en soit la honte est pour moi. Mais vous ne rirez plus au sortir d'ici. »

Quand Lancelot l'entendit se mettre en colère, il fit tout ce qu'il put pour ramener et rétablir la paix, si bien qu'il y réussit. Alors le roi l'emmena voir la reine. Cette fois la reine ne baissa pas les yeux, mais elle s'avança gaiement pour l'accueillir ; elle lui témoigna toutes les marques d'estime en son pouvoir et le fit asseoir à côté d'elle. Puis ils parlèrent à loisir de tout ce dont ils eurent envie, et la matière ne leur manquait pas, car Amour la leur fournissait largement. Et quand Lancelot se rendit compte que tout allait bien, que tout ce qu'il disait plaisait à la reine, il lui fit cette confidence : « Dame, je me demande avec perplexité pourquoi vous m'avez réservé cet accueil, avant-hier, en me voyant, car vous ne m'avez pas adressé une seule parole. Vous m'avez presque ainsi donné la mort, et je n'ai pas eu alors l'audace — que j'ai aujourd'hui — de vous en demander la raison. Dame, je suis prêt à vous en faire réparation, encore faut-il que vous m'ayez énoncé ce forfait qui m'a valu un si grand tourment. » Alors la reine lui explique : « Comment ? N'avez-vous donc pas eu honte de la charrette, n'avez-vous pas hésité ? Vous y êtes monté à grand regret, ayant marqué une attente le temps de faire deux pas. Et voilà la raison, vraiment, pour laquelle je refusai de vous parler et de vous regarder. — Puisse Dieu me garder une autre fois d'un tel forfait, dit Lancelot, et que Dieu n'ait jamais pitié de moi s'il n'est pas vrai que vous étiez tout à fait dans votre droit. Dame, par Dieu, recevez-en de moi ici même réparation, et si vous devez un jour me le pardonner, pour Dieu, dites-le-moi ! — Ami, vous êtes tout à fait quitte, fait la reine, et sans réserve. Je vous pardonne cette faute de bonne grâce. — Dame, dit-il, soyez-en remerciée ; mais je ne puis vous dire ici tout ce que je voudrais ; je vous parlerais volontiers plus à loisir, si c'était possible. » Alors la reine lui montre une fenêtre, de l'œil, et non du doigt, ajoutant : « Venez me parler à cette fenêtre, cette nuit, quand tout le monde ici sera endormi. Vous viendrez par le verger. Vous ne pourrez pas entrer ni vous installer pour la nuit. Je serai à l'intérieur et vous dehors, puisque vous ne pourrez y pénétrer. Et je ne pourrai pas venir jusqu'à vous, sinon en vous parlant de ma bouche et vous touchant de la main. Mais s'il vous plaît je resterai là jusqu'à demain pour l'amour de vous. Nous ne pourrions pas nous trouver ensemble puisque dans ma chambre, devant moi, est couché le sénéchal Keu, rendu invalide par les blessures dont il est couvert. Et puis la porte ne reste pas ouverte, mais elle est bien fermée et bien gardée. Quand vous viendrez, prenez garde que nul surveillant ne vous surprenne. — Madame, je ferai en sorte que nul guetteur ne m'aperçoive qui puisse en concevoir une mauvaise pensée ou quelque médisance. » C'est ainsi qu'ils ont pris rendez-vous, et ils se séparèrent gaiement.

Lancelot sortit de la chambre si heureux qu'il avait oublié jusqu'au dernier de ses nombreux ennuis. Mais la nuit tardait trop à son gré, et le jour lui a paru plus long, sous l'effet de son impatience, que cent jours habituels, voire qu'une année entière. Il aurait bien voulu aller déjà au rendez-vous : si seulement il avait fait nuit ! À force de lutter pour vaincre le jour, la nuit noire et obscure réussit à tirer sur lui son rideau et à lui imposer son manteau. Quand il vit le jour assombri, il fit comme s'il était las et fatigué. Il dit qu'ayant beaucoup veillé il avait besoin de se reposer. Vous pouvez bien comprendre et interpréter, vous qui avez usé du même stratagème, que pour les gens de son logis il jouait la lassitude et le besoin de se mettre au lit ; mais il n'avait pas tellement envie de son lit, car pour rien au monde il ne s'y serait reposé : il n'aurait pas pu, il n'aurait pas osé, il n'aurait même pas voulu en avoir le courage ni le pouvoir d'y penser. Bientôt il se releva en douceur, sans regretter qu'il n'y ait ni lune ni étoile qui luise ni, dans la maison, chandelle, lampe ou lanterne allumée. Il partit en faisant attention que personne ne s'en avise ; ils le croyaient tous endormi dans son lit pour toute la nuit. Sans escorte et sans guide, il s'en alla vite en direction du verger et ne rencontra personne. Il avait de la chance car un pan de mur s'était écroulé récemment dans le verger. Il passa rapidement par cette brèche et avança jusqu'à la fenêtre. Là il se tint immobile, évitant de tousser et d'éternuer. Enfin la reine arriva dans une chemise bien blanche ; elle n'avait pas mis de bliaut ni de cotte, mais avait jeté par-dessus un court manteau d'écarlate et de marmotte. Quand Lancelot vit la reine incliner sa tête à la fenêtre armée de gros barreaux de fer, il l'honora d'un salut très tendre, qu'elle lui rendit aussitôt, car tous deux étaient sous l'empire du désir, lui d'elle et elle de lui. Il n'y eut entre eux ni vilaines paroles ni ennuyeux débats. Ils se rapprochèrent le plus possible l'un de l'autre et tous deux purent alors se tenir par la main. Qu'il leur fût impossible de se rejoindre leur était insupportable, et ils maudissaient les barreaux. Mais Lancelot se fit fort, si cela convenait à la reine, d'entrer chez elle : ce ne sont pas les barreaux qui l'arrêteraient. La reine lui répondit : « Ne voyez-vous pas que ces barreaux sont trop rigides pour être pliés et trop solides pour être brisés ? Et vous aurez beau les agripper, les tirer vers vous, les secouer, vous ne pourrez pas les arracher. — Madame, dit-il, ne

vous inquiétez pas ! Je ne pense pas qu'un barreau de fer
puisse être de quelque importance. Aucun obstacle, sauf
venant de vous, ne peut m'empêcher de parvenir jusqu'à
vous. Si vous m'en octroyez la permission, la voie est libre ;
si au contraire cela ne vous est pas tout à fait agréable,
alors il y a là un obstacle insurmontable que rien ne me fera
franchir. — Certainement, dit-elle, je le veux bien, ce n'est
pas ma volonté qui vous retiendra. Mais il vous faut attendre
que je sois couchée dans mon lit pour éviter qu'il ne vous
arrive malheur à cause du bruit. Ce ne serait ni amusant ni
drôle si le sénéchal qui dort ici était réveillé par quelque
bruit venant de nous. Aussi est-il raisonnable que je m'en
aille, car il n'aurait pas bonne impression s'il me voyait ici,
debout. — Madame, dit-il, il est donc temps de partir, mais
n'ayez crainte, je ne ferai pas de bruit. Je pense extraire les
barreaux en douceur sans avoir trop d'effort à faire, et sans
réveiller personne. »

Alors la reine s'éloigne et lui se prépare, prenant ses dispositions pour venir à bout de la fenêtre. Il saisit les barreaux, les secoue, les tire si bien qu'il les fait plier et les
arrache de leur scellement. Mais le fer était si coupant qu'il
se fit une entaille à la première phalange du petit doigt jusqu'aux nerfs, et qu'il se trancha complètement la première
articulation du doigt voisin. Mais ni des gouttes de sang qui
en tombent, ni d'aucune blessure il n'a conscience, car il a
une tout autre préoccupation. La fenêtre est loin d'être
basse, et pourtant Lancelot y passe très rapidement et les-
tement. Il trouve Keu endormi dans son lit et puis il arrive
au lit de la reine. Il reste en adoration en s'inclinant devant
elle, car c'est le corps saint auquel il croit le plus. Alors la
reine lui tend les bras, les passe autour de lui, et puis le
serre étroitement sur sa poitrine. Ainsi elle l'a attiré dans
son lit, lui réservant le meilleur accueil qu'elle puisse jamais
lui faire, car c'est Amour et son cœur qui lui dictent sa

conduite, c'est inspirée par Amour qu'elle lui fait fête. Mais si elle éprouve pour lui un grand amour, lui éprouve pour elle un amour cent mille fois plus grand, car Amour n'a rien fait avec tous les autres cœurs en comparaison de ce qu'il a fait avec le sien. Dans son cœur Amour a repris force, si exclusivement que dans les autres cœurs on n'en voit qu'une pauvre image. Maintenant Lancelot a tout ce qu'il veut puisque la reine accueille avec faveur sa compagnie et ses caresses, puisqu'il la tient entre ses bras comme elle le tient entre les siens. Ce jeu lui est si doux et si bon, ce jeu des baisers, ce jeu des sens, qu'ils ont connu une joie si merveilleuse qu'on n'en a jamais entendu décrire, jamais connu de semblable. Mais quant à moi je n'en dirai pas davantage, car il est interdit à un conte d'en parler. C'est parmi les joies les plus prisées et la plus délicieuse, celle précisément pour laquelle le conte garde le silence et le secret. Lancelot eut beaucoup de joie et de plaisir toute cette nuit-là. Mais le jour arriva à son grand regret, et il dut se lever d'auprès de son amie. Ce lever fit de lui un vrai martyr, tant fut douloureuse la séparation ; il souffrit là un dur martyre. Son cœur continue d'être attiré du côté où est restée la reine. Il n'a pas la force de l'emmener car la reine l'a tellement charmé qu'il ne désire plus la quitter : le corps s'en va mais le cœur reste. Lancelot retourne droit à la fenêtre. Mais de son corps il reste quelque chose, car les draps sont tachés et colorés par le sang qui est tombé de ses doigts. En s'en allant, Lancelot éprouve une grande détresse, le cœur plein de soupirs et les yeux pleins de larmes. Il n'a pas été question d'un nouveau rendez-vous, il en est peiné, mais c'était chose impossible. Il franchit avec regret la fenêtre par où il était entré avec tant d'enthousiasme. Il n'avait plus ses doigts intacts, s'étant gravement blessé. Et pourtant il a redressé les barreaux et les a remis dans leurs scellements, si bien que ni de l'intérieur ni de l'extérieur, ni en haut ni en bas il

n'apparaissait que l'on eût ôté, tiré ou plié l'un d'entre eux.
Au moment de s'éloigner, il a fait une génuflexion en direction de la chambre, comme on peut le faire devant un autel.
Puis il est parti le cœur serré, sans rencontrer personne
qui le connaisse, et finalement il a rejoint son logis. Il s'est
recouché dans son lit sans éveiller personne. Et c'est alors
que pour la première fois il découvrit avec étonnement
qu'il était blessé aux doigts. Mais il ne s'en alarma pas,
sachant bien que c'est en retirant du mur les barreaux de
la fenêtre qu'il s'était blessé. Aussi n'en éprouva-t-il aucun
regret, car il aurait préféré avoir les deux bras arrachés que
de ne pas avoir franchi la fenêtre. Pourtant, s'il s'était ainsi
blessé et gravement mutilé en d'autres circonstances, il en
aurait ressenti beaucoup de douleur et de fureur.

Sur le matin, dans sa chambre garnie de tentures, la reine
s'était doucement endormie. Elle ne s'était pas rendu compte
que ses draps étaient tachés de sang, s'imaginant qu'ils étaient
toujours blancs, beaux et propres. Or Méléagant, dès qu'il
fut prêt et habillé, est venu à la chambre où reposait la
reine. Il la trouve réveillée et il voit les draps tout tachés de
gouttes de sang frais ; il pousse du coude ses compagnons
et, comme pour faire son enquête sur un crime, il regarde
en direction du lit de Keu, et voit que ses draps sont aussi
tachés de sang ; en effet, sachez que cette nuit-là ses blessures s'étaient rouvertes. Alors il dit : « Madame, cette fois
j'ai trouvé les indices que je cherchais. Il est bien vrai qu'il
faut être fou pour se donner du mal à garder une femme ;
on y perd son travail et sa peine. Elle échappe encore plus
vite à celui qui fait tout pour la garder qu'à celui qui ne fait
pas attention. Mon père a bien monté la garde, vous surveillant par peur de moi ! Il vous a bien gardée de moi ! Mais
cette nuit, malgré lui, le sénéchal Keu vous a regardée de
près, et il a obtenu de vous tout ce qu'il voulait ; ce sera
très vite prouvé. — Et comment ? fait-elle. — J'ai trouvé du

sang sur vos draps, et c'est ce qui en témoigne, puisqu'il faut entrer dans les détails. Je sais tout, et je le prouve, parce que je trouve sur vos draps comme sur les siens le sang qui a goutté de ses plaies : il y a là des preuves irréfutables. » Alors pour la première fois la reine aperçut dans l'un et l'autre lit les draps sanglants, et elle s'en étonna. Elle eut honte et devint toute rouge. « Que le Seigneur Dieu me garde, dit-elle, ce sang que je vois sur mes draps, ce n'est pas Keu qui l'apporta ; mais cette nuit j'ai eu un saignement de nez ; cela vient de mon nez, je pense. » Et elle croit dire la vérité. « Sur ma tête, répliqua Méléagant, ce que vous dites et rien, c'est la même chose. Il ne sert à rien de raconter des histoires, car vous êtes prise en flagrant délit, et la vérité sera bien établie. » Il dit alors aux gardes qui se trouvaient là : « Seigneurs, ne bougez pas d'ici et veillez que ne soient pas ôtés les draps de lit jusqu'à ce que je revienne. Je veux que le roi me rende justice quand il aura vu la chose. » Il partit alors à sa recherche et finit par le trouver. Il se laissa tomber à ses pieds, disant : « Sire, venez voir ce qui échappe à votre attention. Venez voir la reine, et vous constaterez les choses étonnantes que j'ai moi-même découvertes. Mais avant de vous y rendre, je vous prie de ne pas me priver de la justice à quoi j'ai droit. Vous savez bien les risques personnels que j'ai pris pour la reine, ce qui m'a valu de vous avoir pour ennemi, car vous la faites garder contre moi. Ce matin je suis allé la regarder dans son lit, et j'en ai vu assez car j'ai bien remarqué qu'elle avait couché avec Keu toute la nuit. Sire, pour Dieu, ne soyez pas fâché si j'en suis offensé et si je porte plainte, car je prends pour un grave affront qu'elle me haïsse et méprise tandis que chaque nuit le sénéchal couche avec elle. — Tais-toi ! dit le roi, je ne te crois pas. — Sire, alors venez voir les draps, et la façon dont Keu les a arrangés ! Puisque vous ne croyez pas mes paroles et que vous pensez que je vous mens, je

vous montrerai les draps et la courtepointe pleins du sang
des blessures de Keu. — Eh bien, allons-y ! et je me rendrai
compte, car je veux le voir de mes propres yeux ; ce sont
eux qui m'apprendront la vérité. » Alors le roi se rendit
aussitôt à la chambre où il trouva la reine en train de se
lever. Il voit les draps sanglants dans son lit et de même
dans le lit de Keu et dit : « Madame, voilà qui est mauvais
pour vous si ce que m'a dit mon fils est vrai. — Que Dieu
m'assiste, répondit-elle, on n'a jamais, même après un cau-
chemar, raconté un si méchant mensonge. Je pense que le
sénéchal Keu est un homme si courtois et si loyal qu'il est
au-dessus de tout soupçon ; et de mon côté je ne cours pas
les foires pour vendre ou offrir mon corps. Assurément,
Keu n'est pas homme à me demander une telle infamie, et
je n'ai jamais eu le cœur de le faire, ni ne l'aurai jamais. —
Sire, je vous serai très reconnaissant, dit Méléagant à son
père, si l'on fait payer à Keu son crime de telle façon que la
honte en rejaillisse sur la reine. C'est à vous que revient
l'exercice de la justice, je la réclame et je vous en prie. Le
sénéchal Keu a trahi son seigneur, le roi Arthur, qui avait
une telle foi en lui qu'il lui avait confié la chose qu'il aime le
plus en ce monde. — Sire, souffrez donc que je réponde,
dit alors Keu, et je me justifierai. Que jamais Dieu, quand je
quitterai ce monde, ne pardonne à mon âme si j'ai jamais
couché avec ma dame la reine. Certes, je préférerais être
mort que d'avoir cherché à commettre une action si vile[1]
et si criminelle ; et que jamais Dieu ne m'accorde de guérir
mes blessures, mais qu'il me prenne la vie à cet instant
même, si j'en ai eu seulement la pensée. Tout ce que je sais
c'est que mes plaies ont saigné abondamment cette nuit, et
que mes draps en sont tout ensanglantés. C'est la raison

---

1. Basse, abjecte, méprisable.

pour laquelle votre fils me soupçonne, mais il n'en a pas le droit. » Alors Méléagant lui répond : « Que Dieu m'assiste, vous avez été trahi par les diables, les esprits malins ; vous vous êtes trop échauffé cette nuit, et parce que vous vous êtes donné trop d'exercice vous avez fait se rouvrir vos blessures. Aucune de vos excuses ne tient debout : le sang des deux côtés est une preuve formelle ; nous constatons, et tout est clair. Il est juste que paie son forfait un suspect dont la culpabilité est ainsi établie. Jamais un chevalier de votre qualité n'a ainsi déchu de sa gloire ; vous en récoltez la honte. — Sire, sire, dit Keu s'adressant au roi, je défendrai ma reine et moi-même de cette accusation. Il me tourmente et me torture, mais il a tort d'agir ainsi. — Vous n'êtes pas en état de vous battre, fait le roi, blessé comme vous l'êtes. — Sire, si vous voulez bien le permettre, tout malade que je suis je me battrai avec lui, et je montrerai que je ne suis pas coupable du crime dont il m'accuse. » Cependant la reine avait fait secrètement appeler Lancelot. Alors elle fit savoir au roi qu'elle aurait un chevalier qui défendrait le sénéchal de cette accusation contre Méléagant, si celui-ci osait aller plus loin. Et Méléagant répliqua aussitôt : « Contre tout chevalier, sans aucune exception, serait-il un géant, j'engagerai un combat à outrance jusqu'à complète victoire de l'un des deux. » À ce moment entra Lancelot ; il y eut une telle affluence de chevaliers que la salle en fut toute remplie. Dès qu'il fut là, en présence de tout le monde, jeunes et vieux, la reine exposa toute l'affaire, ajoutant : « Lancelot, Méléagant m'a infligé cette honte. Il m'a fait soupçonner par tous ceux qui entendent cette accusation, si vous ne l'obligez pas à se rétracter. Cette nuit, prétend-il, Keu a couché avec moi, puisqu'il a vu mes draps et les siens tachés de sang, et il ajoute que le sénéchal sera tenu pour entièrement coupable s'il ne peut se défendre par les armes contre lui de cette accusation, ou si personne ne veut assumer sa défense pour lui venir en aide. — Vous n'avez pas besoin de plaider votre cause du moment que je suis là. À Dieu ne plaise qu'on vous soupçonne, vous et lui, de cette affaire. Je suis prêt à soutenir les armes à la main qu'il n'a jamais eu une telle pensée. S'il y a en moi quelque ressource, je le défendrai de toutes mes forces, et pour lui j'affronterai le combat. » Alors, bondissant en avant, Méléagant dit : « Que le Seigneur Dieu sauve mon âme, j'en suis d'accord, et cela me convient tout à fait ; que personne n'aille penser que cela me gêne ! » Lancelot déclare alors : « Sire roi, d'après ce que je sais des causes, lois, procès et jugements, on ne peut sans serments décider par bataille sur d'aussi graves soupçons. » Et Méléagant lui répond sans crainte immédiatement : « Que les serments se fassent dans les formes et qu'on apporte les reliques à l'instant, car je sais bien que j'ai le droit pour moi. » Et Lancelot répliqua : « Il faut, j'en appelle à Dieu, ne pas connaître le sénéchal Keu pour le soupçonner de pareille chose. » Aussitôt ils demandent leurs chevaux et ordonnent qu'on leur apporte leurs armes, et on les leur apporte aussitôt : les voilà bientôt armés avec l'aide des valets. C'est au tour des reliques d'être mises en place. Méléagant s'avance, et Lancelot de même à côté de lui. Ils s'agenouillent tous les deux. Méléagant étend la main sur les reliques et jure d'une voix claire : « Que Dieu et le saint dont voici les reliques m'en soient témoins, le sénéchal Keu a partagé cette nuit le lit de la reine, et il a eu d'elle tout son plaisir. — Et moi je t'accuse de parjure, fait Lancelot, et je jure à mon tour qu'il n'y a pas couché et ne l'a pas approchée. Et que Dieu prenne vengeance, s'il lui plaît, de celui qui a menti, et fasse apparaître la vérité. Mais j'ajouterai encore autre chose aux serments et je jurerai, quelque ennui et peine que cela puisse faire à certains, que si j'ai la chance aujourd'hui de vaincre Méléagant, sans autre aide que celle de Dieu et des reliques ici

présentes, je ne lui accorderai plus aucune grâce.» Le roi
ne fut pas heureux d'entendre ce serment.

Quand ils eurent prêté serment on leur sortit les chevaux, belles bêtes pourvues de toutes les qualités. Chacun
est monté sur le sien, et ils s'élancent l'un contre l'autre de
toute la vitesse de leur monture. Le choc des deux chevaliers a lieu au maximum de la vitesse, et bien qu'il ne leur
reste plus de la lance que le tronçon qu'ils avaient en main,
ils se sont envoyés à terre tous les deux, mais ils n'ont pas
vraiment l'air de deux morts, car aussitôt ils se relèvent et
se font tout le mal possible du tranchant de leurs épées
nues. Les étincelles jaillissent des heaumes vers les nues,
toutes brûlantes. Ils s'affrontent avec une telle fureur, leurs
épées nues à la main, qu'aussi vite qu'elles peuvent aller et
venir ils se cognent, ils se frappent sans chercher à se reposer pour avoir le temps de reprendre haleine. Le roi, que ce
combat angoisse et accable, a fait appeler la reine qui était
montée s'accouder dans une des galeries de la tour. Il
invoque Dieu le Créateur en lui demandant de faire se séparer les combattants. «Tout ce qui vous plaît et convient, dit
la reine en toute bonne foi, ne rencontrera de ma part
aucune opposition.» Lancelot a bien entendu la réponse de
la reine à la demande du roi; il ne cherche plus à combattre, mais il abandonne aussitôt le combat tandis que
Méléagant le frappe en redoublant ses coups, car il ne veut
pas de répit. Mais le roi se jette entre les deux combattants
et retient son fils qui proteste en disant qu'il n'est pas question pour lui de faire la paix : «Je veux la bataille, je n'ai cure
de la paix.» Alors le roi lui réplique : «Tais-toi donc et
crois-moi, tu agiras sagement. Tu éviteras honte et dom-
mages si tu m'écoutes, mais fais ce que tu dois faire. Ne te
souviens-tu donc pas que tu as à livrer une bataille, qui a été
prévue à la cour du roi Arthur ? Ne doute point que ce
serait pour toi un grand honneur si tu réussissais là plutôt

qu'ailleurs!» Le roi disait cela pour essayer de l'ébranler. Finalement il réussit à l'apaiser et à séparer les combattants. Lancelot, qui était pressé de retrouver monseigneur Gauvain, vint en demander la permission et le congé au roi et puis à la reine. Avec leur autorisation il s'achemina rapidement vers le Pont sous l'Eau. Il avait derrière lui une troupe importante de chevaliers qui le suivaient mais, parmi ceux qui y allaient, il y en avait beaucoup qu'il eût préféré voir rester. Après de longues étapes ils approchaient du Pont sous l'Eau, dont ils étaient encore à une lieue de distance. Ils n'eurent pas le temps de s'en approcher plus ni de le voir qu'un nain vint à leur rencontre sur un grand cheval de chasse, avec à la main un fouet pour le faire avancer en le menaçant. Aussitôt il demanda, selon des instructions qu'on lui avait données: «Lequel d'entre vous est Lancelot? Ne me le cachez pas, je suis des vôtres; dites-le-moi sans crainte, car je vous pose cette question dans votre intérêt.» Lancelot répondit en personne: «Je suis celui que tu cherches et réclames. — Ah! Lancelot, noble chevalier, laisse ces gens et fais-moi confiance; viens tout seul avec moi, car je veux te conduire en un endroit qui fera ton bonheur. Que personne ne te suive à aucun prix, mais qu'on t'attende à cet endroit où nous reviendrons tout de suite!» Et lui, qui ne se méfiait pas, a fait attendre toute son escorte et a suivi le nain qui l'a trahi; ses gens qui l'attendent là peuvent l'attendre longtemps car ceux qui l'ont attrapé et fait prisonnier n'ont nulle intention de le rendre. Les gens de son escorte se désespèrent en ne le voyant pas revenir au lieu de rendez-vous et ne savent pas quoi faire. Tous disent que le nain les a trahis et s'ils en furent accablés, inutile de le demander. Tristement, ils commencent à le chercher, mais ils ne savent pas où ils pourraient le trouver, ni de quel côté ils devraient orienter leurs recherches; alors ils en délibèrent tous ensemble. L'avis des plus raisonnables et des plus

sages, il me semble, est qu'il convient de se rendre au passage du Pont sous l'Eau, qui est tout proche, et de ne se
mettre en quête de Lancelot qu'ensuite, en profitant des
conseils de monseigneur Gauvain s'ils le trouvent à un
endroit ou à un autre. Tous se rallient à cette suggestion, si
bien que sans s'écarter ils se dirigent vers le Pont sous
l'Eau. À peine arrivés au pont, ils ont aperçu monseigneur
Gauvain qui avait perdu l'équilibre et s'était enfoncé dans
l'eau, profonde à cet endroit. Tantôt il refait surface, tantôt
il coule au fond, tantôt ils le voient, tantôt ils le perdent de
vue. Ils s'approchent de cet endroit, agrippent Gauvain avec
des branches, des perches et des crocs. Il lui restait sur le
dos le haubert, son heaume qui en valait bien dix autres,
encore fixé sur la tête, et, encore enfilées sur ses jambes,
des chausses de fer toutes rouillées de sueur, car il avait
enduré bien des épreuves, traversé bien des périls et subi
bien des attaques dont il avait triomphé. Sa lance, son écu
et son cheval étaient restés sur l'autre rive. Ils ne pensent
pas que celui qu'ils ont retiré de l'eau puisse être encore
vivant, car il avait absorbé beaucoup d'eau, et tant qu'il ne
l'eut pas rendue ils n'en purent obtenir un mot. Mais quand
sa parole et sa voix retrouvèrent libre la sortie des pou-
mons, et qu'on put l'entendre et le comprendre, au plus tôt
qu'il put prendre la parole, il la prit. Il commença par
demander à ceux qui étaient devant lui s'ils avaient quelque
nouvelle de la reine. Dans leur réponse ils lui dirent qu'elle
ne quitte pas un seul instant le roi Bademagu, qui lui fournit
tout ce dont elle a besoin et lui témoigne beaucoup d'égards.
«Est-ce que personne, depuis, n'est venu la chercher sur
cette terre? demande monseigneur Gauvain. — Si, répon-
dent-ils, Lancelot du Lac, qui a passé le Pont de l'Épée. Il l'a
secourue et libérée, et nous tous avec elle. Mais un nabot
nous a trahis, un nain bossu et grotesque: il nous a honteu-
sement trompés en nous enlevant Lancelot. Nous ne savons

ce qu'il en a fait. — Et quand cela est-il arrivé? demande monseigneur Gauvain. — Seigneur, c'est aujourd'hui que le nain nous a fait cela, tout près d'ici, quand Lancelot est venu avec nous à votre rencontre. — Et comment s'est-il conduit depuis son arrivée en ce pays?» Alors ils commencent à l'informer; ils lui racontent tout de bout en bout sans oublier un seul détail; ils lui disent aussi que la reine l'attend, ayant assuré que rien ne la ferait partir du pays avant de le voir, même si on lui en apporte des nouvelles. Monseigneur Gauvain leur demande: «Quand nous allons quitter ce pont, irons-nous en quête de Lancelot?» De l'avis unanime il vaut mieux d'abord aller trouver la reine; le roi le fera rechercher; car ils pensent que c'est son fils qui, traîtreusement, l'a fait mettre en prison: c'est Méléagant, qui déteste Lancelot. Mais où qu'il soit, si le roi l'apprend, il le fera remettre en liberté. Ils peuvent en être sûrs. Tous se rallièrent à cet avis et ils se mirent aussitôt en route, si bien qu'ils approchèrent de la cour où se trouvaient la reine et le roi Bademagu ainsi que le sénéchal Keu; il y avait aussi le traître, débordant de ruses mauvaises, qui troubla les arrivants inquiets pour Lancelot. Ils s'estiment victimes d'une trahison et d'un attentat et ils manifestent bruyamment leur accablante douleur. Ce n'est pas une bonne nouvelle que reçoit ainsi la reine avec ce deuil. Cependant elle montre en la circonstance autant d'enjouement qu'il est possible. Il lui faut, en l'honneur de monseigneur Gauvain, manifester quelque joie, et c'est ce qu'elle fait. Mais elle a beau cacher sa douleur, celle-ci transparaît néanmoins. Elle doit se livrer en même temps à la joie et à la tristesse. Elle a le cœur serré en pensant à Lancelot, mais devant monseigneur Gauvain elle manifeste une joie extrême. Il n'y a personne qui, ayant appris la nouvelle de la disparition de Lancelot, n'en soit triste et désolé. Le roi serait réjoui de voir monseigneur Gauvain, sa venue qui lui donnait l'occasion de faire sa connaissance lui aurait plu beaucoup ; mais il est tellement affligé et accablé de savoir que Lancelot a été trahi qu'il en reste abattu et désemparé. La reine lui demande avec insistance de le faire rechercher par monts et par vaux sur son territoire, sans délai ni retard ; monseigneur Gauvain et Keu font de même ; il n'est personne qui ne soit venu l'en prier instamment. « Laissez-moi m'occuper de cette affaire, dit le roi, inutile d'en parler davantage, car j'ai pris mes dispositions depuis longtemps ; je n'ai besoin ni de prière ni de pétition pour faire cette enquête. » Chacun s'incline respectueusement. Le roi aussitôt envoie par tout son royaume ses messagers, des hommes d'armes de bonne réputation et avisés ; dans tout le pays ils ont demandé de ses nouvelles. Partout ils ont mené leur enquête sans recueillir d'information crédible. N'ayant rien trouvé, ils regagnent l'endroit où séjournent les chevaliers, Gauvain, Keu et tous les autres. Ceux-là disent qu'ils partiront, la lance en bataille, tout armés, pour le chercher ; ils n'en chargeront personne d'autre. Un jour, après manger, ils se trouvaient tous occupés à s'armer, car le moment était venu de faire son devoir, il n'y avait plus qu'à se mettre en route, quand un jeune homme entra dans la salle, et traversa leur groupe pour venir devant la reine, dont le visage n'avait plus son teint de rose ; son angoisse pour Lancelot, dont elle n'avait pas de nouvelles, était telle qu'elle avait perdu toutes ses couleurs. Le jeune homme l'a saluée, ainsi que le roi qui se trouvait à côté d'elle, et puis tous les autres à leur tour, notamment Keu et monseigneur Gauvain. Il tenait une lettre à la main ; il la tendit au roi qui la prit. Le roi la fit lire à haute voix par un clerc tout à fait compétent. Ce lecteur sut bien leur dire ce qu'il vit écrit sur le parchemin : que Lancelot salue le roi, son bon seigneur, le remerciant de l'honneur qu'il lui a fait et des services qu'il lui a rendus, se disant tout entier à son commandement. Il faut qu'on sache sans l'ombre d'un doute

qu'il est avec le roi Arthur, en bonne santé et plein de
vigueur, lequel mande à la reine qu'elle revienne, si elle veut
bien, ainsi que monseigneur Gauvain et Keu. Et la lettre
portait des marques d'authenticité auxquelles ils devaient
accorder crédit, ce qu'ils firent. Ils en furent heureux et
s'en réjouirent; toute la cour retentit de cette réjouissance;
ils ont l'intention, disent-ils, de s'en aller le lendemain, au
lever du jour. Et, quand arriva l'aube, ils se préparèrent et
s'équipèrent; ils sont bientôt debout, ils montent à cheval
et se mettent en route. Le roi les reconduisit en les escor-
tant dans la joie et l'allégresse une bonne partie du chemin.
Il les accompagna jusqu'à la sortie de son domaine, et quand
ils en eurent franchi la limite il prit congé de la reine, puis
de tous les autres, collectivement. La reine, fort poliment,
au moment de prendre congé le remercia de tout ce qu'il
avait fait pour elle; lui mettant ses deux bras autour du cou
elle lui offrit et promit ses bons offices et ceux de son mari;
elle ne pouvait pas lui promettre une plus grande récompense. Monseigneur Gauvain fit de même, il le traita comme
son seigneur et ami, et Keu aussi, et tout le monde fit semblable promesse. Aussitôt ils reprirent la route tandis que
le roi les recommandait à Dieu, saluant tout le monde après
nos trois personnages. Et la reine n'arrêta son voyage aucun
jour de toute la semaine, de même que la troupe qui l'ac-
compagnait. Enfin arrive à la cour la nouvelle, qui réjouit
beaucoup le roi Arthur, que la reine approche; et comme
on parle aussi de son neveu, il en éprouve une profonde
joie et un grand bonheur parce qu'il pense que c'est grâce
à sa prouesse que la reine est revenue, avec Keu et le reste
du menu peuple. Mais il en va tout autrement qu'on ne
pense. Pour les accueillir, tout le monde a quitté la ville et
est allé à leur rencontre. Alors chacun dit à leur arrivée,
chevalier ou vilain: «Bienvenue à monseigneur Gauvain qui
a ramené la reine et nous a libéré mainte dame qui était

captive et maint autre prisonnier.» Mais Gauvain leur a
répondu: «Seigneurs, vous me félicitez à tort; ne vous fati-
guez plus à me faire ces compliments, car je n'y suis pour
rien. Cet honneur me fait honte, car je ne suis arrivé là-bas
ni à temps ni à l'heure; mon retard m'a fait tout manquer.
C'est Lancelot qui est arrivé à temps; c'est à lui qu'en
revient tout l'honneur car jamais il n'y a eu chevalier d'aussi
grande valeur. — Où est-il donc, mon beau seigneur, puisque
nous ne le voyons pas ici avec nous? — Comment où?
demande aussitôt Gauvain; mais à la cour de mon seigneur
le roi! N'y est-il donc pas? — Eh non, ma foi, ni même dans
toute la région; depuis qu'on a emmené Madame, nous n'en
avons plus entendu parler.» Alors monseigneur Gauvain
comprit pour la première fois que la lettre était fausse, et
qu'ils avaient, par elle, été trahis et dupés. Oui, la lettre les
avait bien trompés! Les voilà qui retombent dans le chagrin.
Ils arrivent à la cour dans la tristesse, et le roi aussitôt
demande des nouvelles de toute l'affaire. On trouva facilement des gens pour lui raconter les exploits de Lancelot, la
façon dont il avait repris la reine et tous les prisonniers, et
la trahison qui avait permis au nain de le leur enlever et
soustraire. Cette affaire déplaît au roi; elle lui pèse et le
dérange beaucoup, mais son cœur exulte[1] de bonheur à
cause du retour de la reine, à tel point que la joie chasse la
tristesse; puisqu'il a ce qu'il désire le plus, il se soucie peu
du reste.

Durant l'exil de la reine, il y eut, je crois le savoir, une
concertation des dames et des demoiselles privées de la
protection d'un mari; elles déclarèrent qu'elles voulaient
rapidement se marier et décidèrent au cours de cette
assemblée d'organiser les épreuves d'un tournoi. Au parti

---

1. Se réjouit.

de la dame de Pomelegoi s'opposerait celui de la dame de Noauz. De ceux qui auraient les pires résultats on ne parlerait pas, mais ceux qui obtiendraient de brillants succès seraient choisis pour être aimés. Elles feraient savoir et annoncer le tournoi dans tous les territoires voisins mais aussi dans les pays plus éloignés. En fait, elles fixèrent une date reculée pour attirer plus de gens. Or la reine arriva avant le terme qui avait été fixé. Dès qu'elles apprirent le retour de la reine, la plupart des demoiselles se mirent en route pour aller à la cour trouver le roi, et elles le pressèrent de leur accorder un don et de consentir d'avance à ce qu'elles voulaient. Il leur promit, avant de savoir ce dont il s'agissait, de faire ce qu'elles voudraient. Alors elles lui ont révélé qu'elles voulaient sa permission pour que la reine vienne assister au tournoi. Et lui, qui n'avait pas l'habitude de refuser, leur dit qu'il voulait bien si la reine elle-même le désirait. Tout heureuses de cette réponse, elles vinrent trouver la reine et lui dirent aussitôt : « Madame, ne nous reprenez pas ce que le roi nous a accordé. » Alors elle leur a demandé : « De quoi s'agit-il ? Ne me le cachez pas. » Alors elles répondirent : « Si vous voulez bien venir assister à notre tournoi, il n'a pas l'intention de vous en empêcher ; il ne s'opposera pas à votre décision. » La reine déclara qu'elle irait, puisque le roi lui en donnait l'autorisation. Aussitôt, par tout le royaume les demoiselles envoient des messagers qui font savoir leur projet d'amener la reine au jour annoncé pour le tournoi. La nouvelle s'en répand au loin comme aux environs, ici et là. Elle s'est propagée si loin qu'elle s'est répandue au royaume dont auparavant nul ne retournait ; mais désormais n'importe qui pouvait entrer et sortir, sans rencontrer d'opposition. Et à force de se répandre dans ce royaume, la nouvelle, portée par les paroles et les discours, arriva chez un sénéchal de Méléagant, ce tricheur, ce traître qui mérite de brûler en enfer.

Cet homme avait la garde de Lancelot; c'est chez lui que l'avait mis en prison son ennemi Méléagant, qui avait pour lui une haine terrible. Lancelot apprit la nouvelle du tournoi, avec l'heure et la date qui avaient été fixées; dès lors les larmes ne cessèrent de mouiller ses yeux et son cœur ne connut plus de joie. Voyant Lancelot en proie à une profonde tristesse, la dame de la maison eut avec lui un entretien secret: «Seigneur, pour Dieu et le salut de votre âme, dites-moi la vérité, fait la dame; pourquoi avez-vous ainsi changé? Vous ne buvez ni ne mangez, je ne vous vois ni jouer ni rire; vous pouvez en toute sûreté me confier la pensée qui vous tourmente. — Ah! madame, si je suis triste, pour Dieu ne vous en étonnez point. C'est vrai que je suis tout désemparé de ne pouvoir me trouver là où se trouvera l'élite de la terre, au tournoi où se rassemble tout le monde, si je comprends bien. Et pourtant, si vous vouliez bien, et si Dieu avait mis en vous assez de noblesse d'âme pour que vous me laissiez y aller, vous pourriez avoir la certitude que je me conduirais assez loyalement pour revenir me constituer prisonnier chez vous. — Certes, je le ferais volontiers si je n'y voyais pour moi un danger mortel. C'est que je redoute si fort mon seigneur Méléagant, ce scélérat, que je n'oserais faire cela: il anéantirait mon mari. Il ne faut pas s'étonner si je le redoute, vous connaissez sa méchanceté. — Madame, si vous avez peur que je ne revienne aussitôt après les joutes me constituer prisonnier chez vous, je me lierai par un serment pour moi inviolable, en jurant que rien ne pourra m'empêcher de revenir chez vous me constituer prisonnier aussitôt après le tournoi. — Ma foi, fait-elle, je suis d'accord, à une condition. — Laquelle, madame? — Seigneur, répond-elle, c'est que vous me jurerez de revenir, et en même temps vous me donnerez l'assurance que j'aurai votre amour. — Madame, tout l'amour dont je dispose, je vous le donne vraiment à mon retour. — Autant dire qu'il ne

me reste rien, dit la dame tout en riant. Une autre, à ce que
je crois, s'est déjà vu remettre et confier l'amour dont je
vous ai prié. Pourtant, sans faire la difficile, je prendrai ce que
j'en pourrai avoir. Je me contenterai de ce qui m'est accessible, et j'accepterai le serment par lequel vous vous enga-
gerez envers moi à revenir chez moi comme prisonnier. »

Lancelot, suivant exactement ses instructions, lui jure sur
la sainte Église de revenir sans faute. Et la dame aussitôt lui
donne les armes et l'armure de son mari, de couleur vermeille, ainsi que son cheval d'une beauté, d'une force et
d'une intrépidité merveilleuses. Il monte et le voilà parti tout
resplendissant avec armes et armure fraîches et neuves. Et
il chevaucha longtemps jusqu'à Noauz. C'est le camp qu'il
choisit, et il se logea en dehors de la ville. Jamais un homme
de cette qualité n'eut un logis si humble, car il était petit et
bas ; mais Lancelot ne voulait pas se loger en un lieu où il fût
connu. L'élite des chevaliers rassemblés dans le château était
nombreuse ; mais il y en avait encore plus au-dehors, car il
était venu tant de monde pour la reine qu'un cinquième
d'entre eux ne put trouver un abri pour se loger ; et à sept
contre un la majorité n'était venue que pour la reine. À cinq
lieues à la ronde les barons s'étaient donc logés dans des
tentes, des huttes, des pavillons. Et il y avait aussi tant de
belles dames et demoiselles que c'était une merveille. Lancelot avait mis son écu à la porte de son logis, à l'extérieur.
Pour se délasser il avait quitté son armure et se reposait
sur un lit qu'il n'appréciait guère, car il était étroit, avec un
mince matelas couvert d'un gros drap de chanvre. Ainsi
désarmé, il reposait, appuyé sur un côté. Tandis qu'il était
ainsi couché dans de pauvres conditions, voilà qu'arrive un
mauvais garçon, un héraut[1] d'armes qui avait laissé en gage

---

1. Officier chargé de faire des proclamations solennelles.

à la taverne sa cotte et ses chausses, et il arrivait à toute
allure, nu-pieds et à demi vêtu malgré le vent. Il aperçut
l'écu devant la porte, l'examina sans pouvoir l'identifier, non
plus que son possesseur. Comme il trouva ouverte la porte
de la maison, il entra, vit Lancelot couché sur le lit, le reconnut, et alors fit signe de croix. Lancelot lui fit comprendre
l'interdiction de mentionner sa personne où qu'il allât, ajoutant que s'il faisait état de ce qu'il avait découvert il vaudrait
mieux pour lui s'être arraché les yeux ou cassé le cou.
«Seigneur, j'ai toujours eu pour vous beaucoup d'estime,
fait le héraut, et je continue d'en avoir; jamais de ma vie, à
aucun prix je ne ferai quoi que ce soit qui puisse vous
fâcher.» Aussitôt il sort de la maison et il s'en va criant bien
haut: «Il est arrivé celui qui l'emportera! Il est arrivé celui
qui l'emportera!» Le garçon criait cela partout, et les gens
sortaient de tous les côtés, lui demandant ce qu'il annonçait
par son cri. Il n'osa pas le dire, mais continua d'avancer en
criant la même chose; et sachez que c'est ainsi qu'on commença à dire: «Il est arrivé celui qui l'emportera!» Le
maître qui nous a enseigné ce cri est ce héraut d'armes, son
inventeur.

Déjà les groupes se sont rassemblés, la reine et toutes
les dames, les chevaliers et d'autres, car il y avait beaucoup
d'hommes d'armes, à droite et à gauche. Sur les lieux du
tournoi on avait installé de grandes tribunes en bois pour
la reine, les dames et les jeunes filles. Jamais on n'avait vu
d'aussi belles tribunes, si longues ni aussi bien construites.
C'est là que, le lendemain, toutes les dames se sont rendues après la reine, pour assister à la rencontre et juger les
bonnes et les mauvaises performances. Les chevaliers arrivent dix par dix, vingt par vingt, trente par trente, en voilà
quatre-vingts, en voilà quatre-vingt-dix, là cent, là plus
encore, là deux fois plus. Il y a tant de monde rassemblé
devant les tribunes et autour que l'on commence la mêlée.

Avec ou sans armure ils se disposent pour le combat; il y a comme une forêt de lances, car ceux qui veulent s'en divertir en ont tant fait apporter qu'on ne voit plus que lances, bannières, gonfanons. Les jouteurs s'avancent pour jouter, et ils n'ont pas de mal à trouver des partenaires parmi ceux qui étaient venus pour les joutes. Et les autres aussi se préparaient à d'autres exploits chevaleresques. Il y a tant de monde sur les prairies, les terres labourées ou en friche que l'on ne pourrait estimer le nombre de chevaliers : il y en a trop. Cependant, pas trace de Lancelot pour cette première rencontre. Mais quand il arriva parmi les prés et que le héraut le vit venir, il ne put s'empêcher de crier : « Voyez celui qui va l'emporter ! Voyez celui qui va l'emporter ! » Et l'on demande : « Qui est-ce ? » Mais notre homme ne veut pas le leur dire. Quand Lancelot prend part à la mêlée, à lui seul il vaut vingt des meilleurs, car il commence à si bien jouter que personne ne peut détacher ses yeux de lui, où qu'il soit. Dans le camp de Pomelegoi, il y avait un chevalier preux et vaillant, sur un cheval qui pouvait sauter et courir mieux qu'un cerf des landes — c'était le fils du roi d'Irlande dont l'art de jouter était admirable d'efficacité et de beauté. Eh bien, on admirait quatre fois plus le chevalier qu'on ne connaissait pas. Tous s'inquiétaient de savoir : « Qui est ce parfait jouteur ? » Or la reine, prenant à part une jeune fille habile et intelligente, lui dit : « Mademoiselle, vous avez un message à transmettre ; faites-le vite, en termes brefs. Descendez de cette tribune ; allez trouver pour moi ce chevalier qui porte un écu vermeil, et dites-lui à part que je lui donne pour mot d'ordre : "Au pire". » La jeune fille s'acquitta rapidement et sagement de la mission confiée par la reine. Elle partit à la poursuite du chevalier et, s'étant approchée le plus possible de lui, elle lui dit habilement et intelligemment, sans être entendue des gens à proximité : « Seigneur, ma dame la reine me fait vous communiquer le

mot d'ordre suivant: "Au pire"!» À ces mots il répondit
qu'il agirait ainsi très volontiers, en homme qui lui appartient tout entier. Alors il se précipita vers un chevalier de
toute la vitesse de son cheval et manqua son coup; dès lors
et jusqu'au soir il n'obtint rien d'autre que les pires résultats, autant qu'il put pour plaire à la reine. Et l'autre qui vint
le chercher ne le rata pas mais le frappa d'un grand coup,
pesant de toutes ses forces, et Lancelot alors prit la fuite.
Depuis lors, de la journée il ne tourna le col de son cheval
vers un autre chevalier. À tout prix il évitait toute action
qui ne lui eût pas valu beaucoup de honte, de blâme et de
déshonneur, et il faisait mine d'avoir peur de tous ceux qui
allaient et venaient. Maintenant les chevaliers lui réservaient
risées et railleries, alors qu'auparavant ils n'avaient qu'admiration pour lui. Et le héraut qui répétait: «Voici celui qui
s'imposera à tous en série!» était très abattu et tout penaud,
car il entendait les plaisanteries et les insultes de ceux qui
lui disaient: «Maintenant tu peux te taire, l'ami, celui-là ne
l'emportera pas. Il l'a si bien emporté qu'il a perdu tout le
prestige que tu lui attribuais.» La plupart des gens font ce
commentaire: «Qu'est-ce que cela signifie? Il était si vaillant,
tout à l'heure, et maintenant il est devenu une créature si
craintive qu'il n'ose même pas attendre un chevalier. Peut-
être n'a-t-il eu tout d'abord tant de succès que parce qu'il
ne s'était jamais exercé au maniement d'armes, et alors il
était si vigoureux à son arrivée qu'aucun chevalier ne pouvait lui résister, si expérimenté fût-il; il frappait comme un
fou furieux. Et puis il s'est si bien initié aux armes qu'il
n'aura plus jamais, de toute son existence, envie d'en porter. Il manque de courage pour en supporter davantage. C'est
le plus bel exemple de fausse monnaie qui soit.» La reine
est loin d'en être fâchée; elle est au contraire très heureuse, tout cela lui plaît beaucoup, car elle sait bien — mais
elle n'en dit rien — que c'est Lancelot à coup sûr. Ainsi,

toute la journée, jusqu'au soir, il se fit passer pour un poltron. Mais le coucher du soleil mit fin à la rencontre. Au
moment de se séparer il y eut une grande discussion entre
ceux qui pensaient avoir eu les meilleurs résultats. Le fils du
roi d'Irlande pense que, sans conteste possible, c'est à lui
que reviennent toute la gloire et le premier prix ; mais il se
trompe lourdement parce que beaucoup le valent. Le chevalier vermeil lui-même avait plu aux dames, aux jeunes
filles, aux plus nobles et aux plus belles, si bien que toute la
journée elles n'avaient eu d'yeux que pour lui ; car elles
avaient bien vu comment il s'était d'abord comporté, et
combien il savait être preux et hardi ; et puis il s'était montré si poltron qu'il n'osait attendre aucun chevalier, au point
que le plus mauvais aurait pu l'abattre et le faire prisonnier
s'il avait voulu. Mais toutes et tous furent d'accord pour
revenir le lendemain au tournoi, pour permettre aux demoiselles de choisir pour maris ceux qui se seraient distingués
ce jour-là. Cela dit, et toutes dispositions prises en conséquence, chacun regagna le logement assigné, et là, du moins
en plusieurs endroits, il se trouva des gens pour commencer à médire : « Où est le plus mauvais des chevaliers, le
moins que rien, le méprisable ? Où est-il allé ? Où s'est-il
caché ? Où le trouver ? Où le chercher ? Peut-être que nous
ne le reverrons plus ; c'est qu'il a été séduit par Lâcheté
dont il a été comblé au point qu'il n'y a plus au monde de
créature plus lâche. Non sans raison ; car un lâche a cent
mille fois plus de confort qu'un preux, qu'un guerrier.
Lâcheté vit très à l'aise, et c'est pourquoi il a scellé l'affaire
avec elle d'un baiser en se faisant remettre par elle tout ce
dont il dispose maintenant. Prouesse, elle, ne s'est pas abaissée jusqu'à s'installer chez lui ni à s'asseoir à côté de lui.
C'est Lâcheté qui s'est réfugiée chez lui tout entière ; elle a
trouvé en lui un hôte si amoureux, si serviable que pour
mieux l'honorer il se déshonore. » Telles sont les railleries

par lesquelles les médisants font de lui, toute la nuit, des gorges chaudes. Mais souvent tel dit du mal d'autrui qui vaut pis que celui qu'il blâme et qu'il méprise. Quoi qu'il en soit, chacun dit ce qu'il lui plaît. Mais le jour suivant tout le monde était prêt et l'on revint au tournoi. La reine était remontée dans les tribunes avec les dames et les jeunes filles ; avec elles se trouvaient un bon nombre de chevaliers qui ne prirent pas les armes parce qu'ils étaient prisonniers ou croisés ; alors ils leur expliquaient les armoiries de ceux qu'ils estimaient le plus. Ils commentaient : « Voyez-vous, là, ce chevalier avec un écu bandé d'or sur fond rouge ? C'est Governal de Roberdic. Et voyez-vous, derrière lui, celui qui a mis sur son écu un aigle et un dragon affrontés ? C'est le fils du roi d'Aragon, qui est venu en ce pays conquérir honneur et prix. Et à côté de lui, celui qui pointe et joute si bien avec un écu mi-parti de vert et d'azur, portant un léopard sur le vert ? C'est Ignauré le Désiré, l'amoureux et séducteur. Et celui qui porte sur son écu deux faisans bec à bec ? C'est Coguillant de Mautirec. Et voyez-vous côte à côte ces deux chevaliers sur des chevaux pommelés, dont les blasons sont d'un lion noir sur fond doré ? L'un s'appelle Sémiramis et l'autre est son compagnon : ils ont peint le même blason sur leur écu. Et voyez-vous celui qui porte un écu où est peinte une porte ? On dirait qu'il en sort un cerf. Eh bien, c'est le roi Yder. » Telles sont les remarques faites dans les loges. « Cet écu a été fait à Limoges ; c'est Piladès qui l'a apporté ; il veut toujours se lancer dans la bataille : c'est son plus ardent désir. Cet autre écu a été fait à Toulouse, ainsi que les harnais et le poitrail ; c'est Keu d'Estraux qui l'a apporté. Celui-là vient de Lyon sur le Rhône ; il n'y en a pas de meilleur sous le ciel ; il a été donné en récompense d'un très grand service à Taulas de La Déserte qui le porte avec habileté et sait bien s'en couvrir. Et cet autre est une œuvre d'Angleterre ; il a été fait à Londres ; vous y voyez

ces deux hirondelles qui semblent prêtes à s'envoler ; il n'en
est rien, mais elles reçoivent bien des coups des armes en
acier poitevin ; c'est Thoas le jeune qui le porte. » Voilà
comment les experts expliquent avec précision les armes
des chevaliers qu'ils connaissent. Mais on ne voit pas trace
de celui à qui l'on avait marqué tant de mépris, et l'on pense
qu'il s'est dérobé puisqu'il ne participe pas à la rencontre.
Ne le voyant pas, la reine eut envie d'envoyer chercher
dans les rangs jusqu'à ce qu'on le trouve. Elle ne voit pas
pour cette mission de personne plus qualifiée que celle qui,
la veille, alla déjà le chercher de sa part. Aussitôt elle l'appelle auprès d'elle et lui dit : « Allez donc, mademoiselle,
prendre votre palefroi ! Je vous envoie au chevalier d'hier,
et cherchez-le jusqu'à ce que vous l'ayez trouvé. Ne perdez
pas de temps et dites-lui simplement qu'il doit encore jouter "au pire". Et quand vous lui aurez communiqué cet
ordre, faites bien attention à sa réponse ! » Elle ne perdit
pas de temps, car elle avait bien remarqué la veille au soir
la direction qu'il prenait, ne doutant pas qu'on la renverrait
le trouver. Elle parcourut donc les rangs et finit par trouver
notre chevalier. Aussitôt elle alla discrètement lui dire de
se battre « au pire » s'il voulait garder l'amour et les bonnes
grâces de la reine, car c'était son mot d'ordre. Et lui, puisqu'elle l'ordonnait, répondit : « C'est très bien ainsi ! » Elle
repartit aussitôt. Alors recommencent les huées des valets,
sergents et écuyers qui disent en chœur : « Voyez-moi cette
merveille, celle du chevalier aux armes vermeilles ! Le voilà
revenu ! Mais que fait-il là ? Il n'y a pas au monde de créature aussi vile, aussi méprisable ni tombée aussi bas. Lâcheté
a tellement d'emprise sur lui qu'il ne peut rien faire contre
elle. » La demoiselle est revenue trouver la reine qui l'a
pressée et harcelée jusqu'à ce qu'elle ait eu confirmation de
la réponse ; elle en éprouva une grande joie, car elle savait
désormais en toute certitude que c'était celui à qui elle

appartenait tout entière, comme il lui appartenait sans
l'ombre d'un doute. Elle demanda à la jeune fille de repartir
bien vite d'où elle venait pour lui dire qu'elle lui donne
l'ordre, maintenant, qu'elle le prie, de faire au mieux qu'il
pourrait. Celle-ci lui répondit qu'elle irait aussitôt, sans
demander aucun répit. Elle est descendue de la tribune jusqu'en bas, à l'emplacement où l'attendait le garçon d'écurie
qui lui gardait son palefroi. Elle se met en selle et va trouver le chevalier auquel elle dit aussitôt : « Maintenant ma
dame vous demande, seigneur, de faire au mieux que vous
pourrez. — Vous lui direz qu'il n'est rien qui me semble
pénible à faire du moment que cela lui convient ; car tout ce
qui lui plaît contente mon désir. » Alors elle ne mit pas
longtemps à rapporter son message, pensant bien ravir et
réjouir la reine. Elle prit le plus court chemin pour regagner
les tribunes ; la reine s'est levée pour aller à sa rencontre,
sans pourtant descendre, car elle l'attendit en haut des
marches. La jeune fille arriva, et elle sut bien la contenter
en lui transmettant son message ; elle commença à gravir
les marches et, une fois arrivée près de la reine, elle lui dit :
« Madame, je n'ai jamais vu un chevalier d'aussi bonne disposition, car il veut sans réserve obéir à tous vos ordres, au
point que, si vous voulez savoir la vérité, il réserve le même
accueil au bon et au mauvais sort. — Ma foi, dit-elle, il se
pourrait bien. » Et elle retourne s'installer à la place d'où
elle peut regarder les chevaliers. Alors Lancelot sans plus
tarder saisit son écu par les courroies, brûlant d'impatience
de montrer toute sa prouesse. Il redresse la tête de son
cheval et le fait courir entre deux rangées de chevaliers.
Bientôt il va étonner ceux qui se sont laissé abuser et tromper, et qui ont passé une grande partie du jour et de la nuit
à se moquer de lui. Comme ils se sont bien amusés, diver-
tis et moqués ! Ayant passé son bras dans les courroies de
son écu, le fils du roi d'Irlande prend son élan à grand fra-

cas et fonce dans sa direction. Le choc des deux chevaliers est tel que le fils du roi d'Irlande n'est pas prêt d'en redemander : il a brisé et mis en miettes sa lance, car il n'a pas frappé sur de la mousse mais sur du bois sec et dur. Et Lancelot lui apprend à l'occasion de cette joute un tour de sa façon en lui coinçant le bras derrière l'écu et en le poussant de ce côté pour le faire tomber de cheval. Aussitôt, dans les deux camps, les chevaliers passent à l'action à force d'éperons, les uns pour venir au secours du fils du roi d'Irlande, les autres pour le bloquer. Les premiers pensent venir en aide à leur seigneur, mais ils sont désarçonnés au cours de la mêlée. De toute la journée Gauvain s'abstint d'intervenir dans la mêlée aux côtés de l'autre camp, car il prenait tant de plaisir à regarder les prouesses du chevalier aux armes vermeilles qu'à ses yeux elles éclipsaient les prouesses réalisées par les autres ; par comparaison celles-ci perdaient toute valeur. Alors le héraut reprit de l'assurance et se mit à crier pour être entendu de tous : « Le voilà venu celui qui l'emportera ! Aujourd'hui vous allez voir ce qu'il va faire ; aujourd'hui va se révéler sa prouesse ! » Alors le chevalier redresse la tête de son cheval et il pique des deux en direction d'un chevalier très élégant qu'il frappe avec une telle force qu'il le fait bouler de son cheval à plus de cent pieds de là. Il commence à se servir si bien de son épée et de sa lance que personne dans l'assistance n'échappe au ravissement du spectacle. Même les combattants y prennent plaisir et s'en réjouissent ; car il est très plaisant de voir la manière dont il fait trébucher pêle-mêle chevaux et chevaliers. Il est rare qu'un chevalier qu'il aborde puisse rester sur sa selle ; il distribue les chevaux ainsi gagnés à tous ceux qui en veulent. Alors ceux qui récemment se moquaient de lui disent maintenant : « Nous sommes perdus et déshonorés. Nous avons eu grand tort de le mépriser et de le dénigrer. Assurément, il vaut bien au moins un

millier de ceux qui se trouvent sur ce champ de bataille ; il a vaincu et dépassé tous les chevaliers du monde : pas un seul ne fait le poids en face de lui. » Et les demoiselles dont les yeux sont pleins d'admiration pour lui disaient qu'elles étaient par sa faute condamnées au célibat, car elles n'osaient plus compter sur leur beauté ni sur leur richesse, ni sur leur pouvoir ni sur leur noblesse pour que ce chevalier daigne prendre l'une d'entre elles ; leur beauté et leur dot ne sont pas à la mesure de son mérite. Et pourtant la plupart font en secret le vœu que, si elles ne se marient pas avec lui, elles ne se marieront pas cette année et refuseront d'accepter tout autre homme comme maître et seigneur. Or la reine, en entendant ces prétentions, retient un sourire et un commentaire moqueur. Elle sait bien que même si on étalait devant lui tout l'or d'Arabie, la meilleure d'entre elles, la plus belle et la plus élégante ne réussirait pas à se faire élire par celui qui éveille chez toutes la même envie. Comme elles ont toutes le même désir, chacune voudrait que cet homme soit à elle ; et chacune est jalouse des autres comme si elle était déjà son épouse. C'est qu'elles le voient si adroit qu'elles ne peuvent s'imaginer ni croire, tant elles sont éprises, qu'un autre chevalier puisse en faire autant. Il fit tant et si bien que, au moment de se séparer, dans les deux camps on convint que vraiment il n'y avait personne de comparable à celui qui portait l'écu vermeil. Tous dirent la même chose, et c'était la vérité. Mais, en s'en allant, il laissa tomber son écu dans la foule, là où elle était apparemment la plus dense, ainsi que sa lance et sa couverture[1] ; puis il partit à toute allure. Il partit donc à la dérobée, de sorte qu'aucune des personnes de cette assemblée encore présentes ne s'en rendit compte. Et, s'étant mis en

---

1. La selle repose sur un tapis rectangulaire festonné de motifs héraldiques (blasons).

route, il retourna le plus rapidement et le plus directement possible à son point de départ pour s'acquitter de sa promesse. À l'issue du tournoi, tout le monde le chercha et demanda de ses nouvelles ; mais on n'en trouva aucune trace car il s'était enfui, ne tenant pas à ce qu'on le reconnaisse. Les chevaliers en furent très chagrinés et très contrariés, car ils lui auraient fait fête s'il avait été accessible. Mais si les chevaliers regrettèrent qu'il les eût ainsi abandonnés, les demoiselles, en l'apprenant, en furent encore bien plus accablées ; elles déclarèrent que, par saint Jean, elles ne se marieraient pas de l'année ; puisqu'elles n'avaient pas celui qu'elles voulaient, elles en tenaient tous les autres pour dispensés. Ainsi se termina le tournoi sans qu'aucune n'eût pris de mari. Lancelot, sans traîner en route, retourna vite dans sa prison. Or le sénéchal rentra deux ou trois jours avant Lancelot, et il demanda où il était. Et la dame qui lui avait remis les armes vermeilles, bien soigneusement préparées, ainsi que son cheval tout harnaché, avoua la vérité au sénéchal, disant comment elle l'avait envoyé sur les lieux de la rencontre, au tournoi de Noauz. « Vous ne pouviez pas faire pire, vraiment, madame, lui dit le sénéchal ; cela me vaudra, je pense, de graves difficultés, car monseigneur Méléagant me traitera plus mal que le droit de la mer traite les épaves. Je serai détruit et mort dès qu'il l'apprendra, car il n'aura nullement pitié de moi. — Mon beau seigneur, ne vous tourmentez pas, dit la dame, n'ayez pas une crainte aussi mal fondée ; rien ne peut le dispenser de venir, car il m'a juré sur des reliques qu'il reviendrait le plus vite possible. » Le sénéchal se dépêcha de monter à cheval pour aller raconter à son seigneur tout ce qui était arrivé ; mais il le rassura tout à fait en lui disant que sa femme avait bien pris soin de lui faire jurer qu'il reviendrait dans sa prison. « Il n'y manquera pas, je le sais bien, dit Méléagant, et pourtant je suis très ennuyé de ce qu'a fait

votre femme ; j'aurais à tout prix voulu éviter qu'il parti-
cipât au tournoi. Mais reprenez le chemin du retour et
veillez, quand il sera rentré, qu'il soit enfermé dans une prison telle qu'il n'en puisse sortir et qu'il n'ait aucune liberté
de mouvement. Et rendez-moi compte aussitôt. — Il sera
fait comme vous l'ordonnez », dit le sénéchal. Et il s'en alla ;
il trouva Lancelot déjà de retour et ayant regagné sa prison
chez lui. Un messager est vite renvoyé par le sénéchal à
Méléagant, par le chemin le plus court, pour lui faire savoir
que Lancelot est revenu. À cette nouvelle, il réquisitionna
maçons et charpentiers du pays pour réaliser, de gré ou de
force, ses plans ; il avait choisi les meilleurs de tout le pays.
Il leur a dit de construire une tour et de travailler avec
acharnement jusqu'à ce qu'elle soit terminée. La pierre fut
extraite au bord de la mer, car le pays de Gorre est longé
de ce côté par un long et large bras de mer. Et au milieu de
ce bras de mer il y a une île bien connue de Méléagant.
C'est là que selon ses ordres on apporta la pierre et le bois
pour construire la tour. En moins de cinquante-sept jours
celle-ci fut terminée ; c'était une tour haute, aux murs épais,
sur de solides fondations. Quand l'ouvrage fut achevé, il
fit amener Lancelot nuitamment et le fit enfermer dans la
tour. Puis il donna l'ordre de murer les portes et fit jurer à
tous les maçons de ne jamais dire un mot de cette tour. Il
voulut ainsi la garder secrète ; on n'y laissa ni porte ni
ouverture sauf une petite fenêtre. C'est donc là que dut
séjourner Lancelot, et on lui servait à manger, maigrement
et rarement, par ce petit guichet ménagé selon un plan
préalablement établi, conformément aux instructions de ce
chevalier félon, plein de perfidie. Voilà prises toutes les dispositions voulues par Méléagant. Après cela il se rendit à la
cour du roi Arthur. Une fois arrivé là il se présenta devant
le roi et, plein d'arrogance et de véhémence, il se mit à
argumenter : « Roi, je me suis engagé à livrer une bataille

devant toi, dans ta cour ; mais je ne vois pas trace de Lancelot, qui doit se battre avec moi. Néanmoins, j'offre le combat comme je le dois, prenant à témoin toute l'assistance ici réunie. Et s'il est présent, qu'il s'avance et soit en mesure de me tenir parole en cette cour dans le délai d'un an à partir d'aujourd'hui. Je ne sais si l'on vous a jamais dit les circonstances et les modalités de cette bataille ; mais je vois ici des chevaliers qui se trouvaient assister à la conclusion de nos arrangements, et ils sauraient bien vous renseigner s'ils consentaient à dire la vérité. Mais s'il veut me contester mon droit, je n'aurai pas recours à un mercenaire, au contraire je me ferai moi-même justice sur sa personne. » La reine qui était assise aux côtés du roi le tire vers elle et se met à lui dire. « Savez-vous qui c'est ? C'est Méléagant, qui m'a enlevée alors que le sénéchal Keu m'escortait ; il est responsable à son égard de beaucoup de honte et de souffrance. » Le roi lui a alors répondu : « Madame, je l'ai bien compris ; je sais très bien que c'est lui qui retenait mon peuple en exil. » La reine n'en dit pas plus. Le roi, répondant à Méléagant, lui dit : « Mon ami, j'en prends Dieu à témoin, nous n'avons aucune nouvelle de Lancelot, ce qui nous chagrine beaucoup. — Sire, reprit Méléagant, Lancelot m'avait dit que je le trouverais ici sans faute ; c'est en votre cour et non ailleurs que je dois réclamer cette bataille. Je veux que tous les barons ici présents soient témoins de cette sommation : dans un délai d'un an il doit satisfaire aux termes des accords conclus entre nous quand nous avons décidé de nous battre ».

À ces mots monseigneur Gauvain se lève, très fâché de ce qu'il vient d'entendre dire : « Sire, dit-il, il n'y a pas trace de Lancelot en ce pays ; mais nous l'enverrons chercher, et s'il plaît à Dieu on le retrouvera avant la fin de l'année, s'il n'est pas mort ou emprisonné. Et s'il ne vient pas, alors accordez-moi la bataille, je la ferai pour Lancelot. Pour lui je prendrai les armes au jour fixé, s'il n'est pas arrivé avant. — Eh! Eh! par Dieu, beau sire roi, accordez-le-lui, fait Méléagant: il veut la bataille, et moi je vous en prie, car je ne connais pas au monde de chevalier à qui je veuille autant me mesurer, exception faite de Lancelot. Mais sachez bien que si je ne peux me battre avec l'un de ces deux chevaliers, je n'accepterai personne pour les remplacer ou les suppléer: il me faut l'un des deux!» Le roi donne son accord pour cet arrangement au cas où Lancelot ne se présenterait pas à temps. Alors Méléagant repartit et quitta la cour du roi. Il poursuivit sa route, sans s'arrêter, pour rejoindre son père le roi Bademagu. En sa présence, pour bien montrer sa prouesse et son importance, il fit un gros effort pour se donner un air et un visage étonnants. Ce jour-là, le roi tenait une cour très joyeuse en sa cité de Bade: c'était le jour de son anniversaire, et telle était la raison de cette grande assemblée plénière. Il avait amené avec lui toutes sortes de gens, en grand nombre. Le palais tout entier était envahi par des chevaliers et des demoiselles. Parmi elles, il s'en trouvait une dont je vais bientôt vous dire ce que j'en pense et le rôle que je lui réserve: c'était la sœur de Méléagant. Mais je ne veux pas m'en expliquer maintenant, car ce n'est pas dans l'ordre du récit à cet endroit, et je ne veux pas le défigurer, l'abîmer ni lui faire violence, mais lui faire suivre correctement son cours. Pour le moment je vous dirai seulement qu'après son arrivée Méléagant s'adressa à son père, en présence de tout le monde, petits et grands, déclarant d'une voix forte: «Père, par Dieu, dites-moi, s'il vous plaît, s'il ne doit pas être très heureux et très valeureux celui dont les armes font trembler la cour du roi Arthur?» Le père sans plus attendre répond à sa question: «Fils, toutes les personnes de valeur doivent honorer et servir quiconque le mérite, et cultiver sa compagnie.» Alors pour le flatter il le prie de ne plus

taire les raisons de cette remarque, et de dire ce qu'il
cherche, ce qu'il veut et d'où il vient. « Sire, reprit Méléagant, je ne sais si vous vous souvenez des dispositions et
conventions qui furent établies et enregistrées pour l'accord
conclu entre moi-même et Lancelot ; vous vous rappelez
bien, je suppose, qu'on nous demanda, devant témoins, de
nous trouver tous les deux dans le délai d'un an à la cour
du roi Arthur. Je m'y suis rendu au moment voulu, équipé
et ayant pris toutes les dispositions à cet effet. J'ai respecté
les formes. J'ai demandé et requis Lancelot avec qui j'avais
affaire. Mais je n'ai pu le voir ni le rencontrer : il s'est enfui
et esquivé. Alors j'ai obtenu avant de repartir la promesse
de Gauvain que, si Lancelot n'est plus en vie ou s'il ne vient
pas dans les délais prévus, le combat ne sera pas reporté,
mais (il me l'a juré) que lui-même se battra avec moi. Arthur
n'a pas de chevalier plus estimé que lui, c'est bien connu.
Mais avant que ne fleurissent les sureaux je verrai en combattant si la réalité est à la hauteur de sa réputation, et
je voudrais que ce soit dans le moment qui vient. — Fils,
répond son père, en ce moment tu passes ici pour un sot.
À celui qui l'ignorerait jusqu'ici, tu révèles toi-même ta
folie. En vérité un cœur noble choisit l'humilité, tandis qu'un
homme d'une folle outrecuidance ne se débarrasse jamais
de sa folie. Fils, c'est pour toi que je le dis, car ta nature est
si dure et si sèche qu'il n'y a place en toi ni pour la douceur
ni pour l'amitié. Ton cœur ignore trop la pitié ; tu es trop
sous l'emprise de la folie furieuse. C'est ce qui me fait te
mépriser, c'est ce qui fera ton malheur. Quant à savoir si tu
es si vaillant, on trouvera bien quelqu'un pour en témoigner
quand l'heure en sera venue. Il ne convient pas à un homme
de bien de faire l'éloge de son courage pour rehausser ses
actions ; les faits parlent d'eux-mêmes. L'éloge que tu fais
de toi-même ne t'aide pas plus qu'une plume d'oiseau à
rehausser ta gloire : au contraire, je t'en estime moins. Fils,

je te fais la morale, mais à quoi bon ? Tout ce qu'on dit à un fou est peine perdue ; on se démène en vain quand on veut délivrer un fou de sa folie. On peut enseigner et exposer la sagesse, mais cela ne sert à rien si elle n'est pas mise en pratique, et si on la laisse se dissiper et se perdre aussitôt. » Pour le coup Méléagant perdit complètement la tête, comme hors de lui. Jamais aucun mortel, je puis bien vous l'affirmer, ne s'est montré en proie à une telle fureur. De rage il rompit tous les liens d'affection et, perdant tout respect, il répliqua à son père : « Vous rêvez ou vous délirez pour me dire que j'ai le cerveau dérangé alors que je ne fais que raconter ma vie ? Je croyais être venu à vous comme à mon seigneur, à mon père ; mais cela n'a pas l'air d'être le cas, car vous m'insultez plus grossièrement, je trouve, qu'il ne vous est permis. Vous ne sauriez me donner la raison de cette attitude que vous avez prise. — Si, je pourrais. — Et alors, quelle est-elle ? — C'est que je ne vois en toi que sottise et rage. Je connais fort bien ton cœur qui te causera encore un grand malheur. Au diable qui pourrait penser que Lancelot, le modèle de chevalerie loué par tout le monde, sauf par toi, se serait sauvé par peur de toi ! Mais peut-être est-il déjà mort et enterré, ou bien enfermé dans une prison dont la porte est si bien fermée qu'il ne peut sortir sans autorisation. Certes, je serais durement atteint s'il était mort ou maltraité. Oui, ce serait une trop grande perte si un être de cette envergure, si beau, si preux, si sage, était mort avant l'âge. Mais ce n'est pas vrai, s'il plaît à Dieu. » Alors Bademagu se tait ; mais tout ce qu'il a dit et raconté avait été entendu et écouté par une de ses filles, celle, sachez-le bien, dont j'ai déjà fait mention dans mon récit. Elle n'est pas heureuse des nouvelles que l'on raconte sur Lancelot. Elle comprenait bien qu'on le détenait dans une cachette, puisqu'on n'en avait pas la moindre trace. « Je renonce à Dieu, dit-elle, si je prends quelque repos avant d'en avoir une nouvelle sûre et certaine. » Aussitôt, en toute hâte, sans faire entendre le moindre bruit, le moindre murmure, elle court monter sur mule de belle allure et douce à chevaucher. Mais je dois vous dire qu'elle ne sait pas du tout de quel côté aller au moment de quitter la cour. Elle ne le sait, elle ne le demande, mais prend le premier chemin qu'elle rencontre, allant à grande allure elle ne sait où, à l'aventure, sans escorte de chevalier ni de sergent. Elle se hâte, très désireuse d'arriver au but. Elle mène ardemment son enquête, sa poursuite, mais le résultat n'en est pas pour tout de suite. Elle ne doit pas se reposer, ni s'attarder long-temps au même endroit si elle veut mener à bonne fin son projet, c'est-à-dire tirer Lancelot de sa prison ; encore faut-il qu'elle le trouve, et qu'il soit possible de le libérer. Mais je pense qu'avant de le trouver elle aura visité, parcouru, fouillé maint pays, sans encore rien apprendre de lui. À quoi bon raconter ses étapes et ses journées de marche ? Elle a pris mille chemins divers, traversé montagnes et vallées, monté et descendu pendant plus d'un mois sans pouvoir en apprendre davantage que ce qu'elle savait au départ, mais c'est en vain : peine perdue ! Pourtant, un jour qu'elle tra-versait un champ, plongée dans ses tristes pensées, elle aperçut au loin, sur le rivage, le long d'un bras de mer, une tour. Il n'y avait aux environs ni maison, ni cabane, ni abri. C'était la tour que Méléagant avait fait construire pour y mettre Lancelot ; la demoiselle n'en savait rien. Mais, sitôt qu'elle l'aperçut, son regard s'y fixa sans pouvoir s'en détour-ner. Son cœur lui dit que c'est là ce qu'elle a tant cherché : la voilà arrivée au but, Fortune l'y conduit tout droit après l'avoir si longtemps promenée.

La jeune fille s'approcha de la tour, et au terme de sa marche y arriva enfin. Elle la contourna tout en prêtant l'oreille, écoutant avec attention pour savoir si elle pourrait entendre quelque signal favorable. Elle inspecte le bas, lève les yeux vers le sommet, pour constater que c'est une tour haute et large. Ce qui est étrange, c'est qu'on n'y voit ni porte ni fenêtre, sauf une petite ouverture très étroite. Pour une tour si haute et élancée, aucune échelle, aucun escalier. Tout cela la confirme dans l'idée que la tour a été faite précisément pour y enfermer Lancelot. Pas question de se mettre quoi que ce soit sous la dent avant d'en avoir le cœur net. Elle avait l'intention de l'appeler par son nom, en criant « Lancelot ! » mais elle se retint car, tandis qu'elle gardait le silence, se fit entendre une voix qui se lamentait dans la tour avec une insistance extraordinaire, ne réclamant plus rien d'autre que la mort. Cet homme désirait la mort, en se plaignant beaucoup ; une souffrance excessive lui faisait désirer de mourir. Il exprimait son mépris pour la vie et pour son corps, disant faiblement, d'une voix ténue et rauque : « Hélas ! Fortune, comme ta roue a tourné pour moi dans le mauvais sens ! Elle m'a précipité du sommet où j'étais vers le bas. J'étais heureux, maintenant je suis malheureux. Les larmes ont succédé au sourire que tu me faisais. Ah ! pauvre de moi, pourquoi m'être fié à elle puisqu'elle m'a si vite abandonné ? En peu de temps elle m'a vraiment fait descendre du plus haut au plus bas. Fortune, en te moquant de moi tu as bien mal agi, mais que t'importe ? Le cours des choses t'est indifférent. Ah ! sainte Croix, Saint-Esprit, comme me voilà perdu, comme me voilà mort, déjà au terme de ma vie ! Ah ! Gauvain, vous qui avez tant de mérite, vous qui êtes d'une vaillance inégalée, vraiment je m'étonne beaucoup que vous ne veniez pas me secourir. Vraiment vous tardez trop, votre conduite manque de courtoisie. Celui que vous aimiez tant aurait bien dû recevoir votre aide. Vraiment, de ce côté de la mer ou de l'autre, je puis bien le dire sans mentir, il n'y aurait eu de lieu écarté ni de cachette où je n'eusse été vous chercher pendant six ou sept ans, voire une dizaine d'années, jusqu'à ce que je

vous eusse trouvé, si j'avais appris que vous étiez retenu en
prison. Mais pourquoi prolonger ce débat ? Vous ne vous en
souciez pas assez pour vous en mettre en peine. Le vilain a
raison de dire qu'il est difficile de trouver un ami ; on peut
facilement vérifier, quand on en a besoin, qui est un véritable ami. Hélas ! voilà plus d'un an qu'on m'a mis dans cette
tour, en prison. Gauvain, je considère comme du mépris
que vous m'y ayez laissé. Mais peut-être que vous ne le
savez pas et que je vous accuse à tort. Oui, c'est vrai, je le
reconnais, et c'est injuste de ma part, et méchant, d'avoir
eu cette pensée, car je suis certain que rien au monde n'aurait pu empêcher vos gens et vous-même de venir pour
m'arracher à ce malheur et à cette adversité si vous aviez
su la vérité ; et vous vous seriez senti obligé de le faire
parce que nous sommes amis et compagnons, voilà le fond
de ma pensée. Mais tout ce discours est vain, il est impossible que les choses se passent comme je le souhaite. Ah !
que Dieu et saint Sylvestre le maudissent, que Dieu l'abandonne à son destin, celui qui m'impose une telle honte !
C'est la pire des créatures de ce monde, ce Méléagant qui
par envie m'a fait le plus de mal possible. » Alors s'éteint,
alors se tait la plainte de celui qui passe sa vie dans la douleur. Mais celle qui attendait au bas de la tour avait entendu
tout ce qu'il avait dit ; sans plus attendre, sachant qu'elle
était sur la bonne voie, elle lança l'appel qu'il fallait en criant
de toutes ses forces : « Lancelot, ami, vous qui êtes là-haut,
répondez à l'une de vos amies ! » Mais lui, de l'intérieur, ne
l'entendit pas. Alors elle haussa encore plus la voix, si bien
que dans sa faiblesse il l'entendit à peine, et se demanda
avec étonnement qui pouvait bien l'appeler. Il entendait
bien une voix l'appeler, mais il ne savait pas qui l'appelait ; il
pensa que ce devait être une apparition. Regardant autour
de lui et vérifiant s'il pourrait voir quelqu'un, il ne vit rien,
seulement sa prison, et lui-même. « Dieu, fait-il, qu'est-ce

que j'entends? J'entends parler et je ne vois rien. Ma foi, voilà merveille, je ne dors pas, je suis bien réveillé. Sans doute, si j'avais eu un songe, je pourrais me croire le jouet d'une illusion. Mais je suis éveillé, et j'en suis tout troublé.» Alors, non sans mal, il se lève et se dirige vers la petite ouverture, lentement, à petits pas, et une fois arrivé il prend appui pour voir en haut, en bas, en face et sur les côtés. En tournant son regard vers l'extérieur, il exerce sa vue et finit par apercevoir celle qui l'avait appelé : s'il ne la reconnaît pas, du moins la voit-il. Mais elle l'a reconnu aussitôt : «Lancelot, lui dit-elle, je suis venue de bien loin pour vous chercher. Voilà chose faite, Dieu merci, je vous ai retrouvé. Je suis celle qui vous a demandé un don, quand vous alliez vers le Pont de l'Épée, et vous me l'avez accordé volontiers comme je vous en priais : c'était la tête du chevalier que vous aviez vaincu ; je vous l'ai fait trancher, car il n'était pas de mes amis. C'est pour ce don, pour ce service rendu que je me suis donné tout ce mal ; c'est pour cela que je vous sortirai d'ici. — Mademoiselle, je vous en remercie, répond le prisonnier. Ce sera une belle récompense pour le service que je vous ai rendu si l'on me sort d'ici. Si vous pouvez m'en sortir, je puis vous dire et vous promettre que je resterai toujours à votre service, j'en atteste l'apôtre saint Paul ; aussi vrai que je souhaite me trouver un jour en présence de Dieu, il n'y aura aucun jour où je ne sois disposé à faire ce qu'il vous plaira de me commander. Quoi que vous me demandiez, si c'est à ma portée, vous l'aurez sans délai. — Ami, n'en doutez pas, vous serez bientôt sorti de là. Aujourd'hui même vous serez sorti et délivré ; je ne renoncerais pas pour mille livres à vous tirer de là avant demain. Ensuite je vous procurerai un séjour agréable, le repos et le confort. Il n'y aura rien que vous ne puissiez obtenir de moi, si cela vous fait plaisir. N'ayez plus aucune inquiétude. Mais je dois d'abord me procurer n'importe où

dans ce pays un outil permettant, si je le trouve, d'élargir
cette ouverture pour que vous puissiez sortir par là. —
Puisse Dieu vous permettre de le trouver!» répond Lancelot, bien d'accord avec tout cela. «J'ai là à l'intérieur une
longue corde que les gardiens m'ont donnée pour hisser
ma nourriture, pain d'orge et eau trouble qui me brouillent
cœur et corps.» Alors la fille de Bademagu se procure un
pic fort, carré, pointu et aussitôt elle le fait parvenir à Lancelot. Il en heurte, cogne, frappe et pousse tant le mur que,
non sans mal, il se ménage une sortie commode. Quel soulagement, quelle joie, sachez-le, de se voir tiré de prison, et
de retrouver sa liberté de mouvement hors des murs où
on le retenait en cage! Voilà l'oiseau à l'air libre, qui peut
prendre son essor! Comprenez bien que pour tout l'or du
monde, même si on l'avait entassé pour le lui offrir en
cadeau, il n'aurait voulu revenir en arrière.

Voici donc Lancelot sorti de sa prison, mais si affaibli et
amoindri qu'il chancelait: il n'avait plus de force. Alors la
demoiselle le prit tout doucement, pour ne pas le blesser,
et l'installa devant elle sur sa mule, et ils partirent à vive
allure. Elle évita volontairement le chemin normal, pour
qu'on ne les voie pas; ils chevauchèrent en cachette, car
marchant à découvert ils auraient pu être reconnus par
quelqu'un qui leur aurait vite causé des ennuis, ce que la
demoiselle voulait éviter à tout prix. Esquivant le danger de
certains passages, elle arriva à un logis où elle séjournait
souvent parce qu'il était beau et agréable. La demeure et
son personnel étaient à ses ordres, et l'on trouvait tout le
nécessaire en cet endroit qui était à la fois sûr et discret.
Voilà donc Lancelot arrivé. Dès qu'il y fut venu, on le désha-
billa complètement, et la demoiselle le fit doucement coucher dans un lit haut et bien fait; puis elle le baigna et lui
prodigua des soins si variés que je ne pourrais en énumérer
la moitié. Elle le massait doucement et eut pour lui ces

attentions qu'elle aurait pu avoir pour un père ; elle lui rendit sa fraîcheur et sa santé, ce fut un complet changement, une métamorphose. Elle le fit aussi beau qu'un ange ; il n'avait plus l'air d'un gueux ni d'un galeux, mais il était fort et beau. Alors il s'est levé. La demoiselle lui avait procuré la plus belle robe qu'elle ait pu trouver, et elle l'en habilla à son lever. Et lui, tout joyeux, l'enfila, le cœur plus léger qu'un oiseau qui vole. Il donna un baiser à la demoiselle en la prenant par le cou, et puis il lui dit avec amabilité : «Amie, avec Dieu vous êtes la seule à qui je rende grâces de me retrouver sain et guéri. C'est vous qui m'avez arraché à ma prison, et pour cette raison vous pourrez disposer de mon cœur, de mon corps, de mes services, de tout ce que j'ai. Vous avez tant fait pour moi que je vous appartiens. Mais il y a longtemps que je n'ai pas été à la cour de monseigneur Arthur qui m'a toujours grandement honoré ; j'y aurais beaucoup de choses à faire. Alors, douce et noble amie, au nom de notre amitié je vous prierais de me donner l'autorisation de partir, et j'irais volontiers là-bas, si vous en étiez d'accord. — Lancelot, mon doux ami, cher et beau, répondit la demoiselle, je le veux bien ; je n'ai en vue que votre honneur et votre bien, partout, où que ce soit.» Elle lui fait don d'un cheval extraordinaire qui lui appartient, le meilleur qu'on ait jamais vu, et il saute en selle, sans demander aux étriers de l'aider à monter ; il était à cheval avant d'avoir eu le temps de s'en rendre compte. Alors ils se recommandent à Dieu, qui jamais ne déçoit.

Lancelot s'était mis en route si joyeux que, même si je l'avais promis et juré, je ne pourrais, malgré tous mes efforts, décrire la joie qu'il éprouvait de s'être ainsi échappé de la prison où il avait été pris au piège. Mais maintenant il se répète souvent que l'autre a fait son malheur en le retenant prisonnier, le traître, le dévoyé : le voilà victime d'un bon tour, d'une autre ruse : «Malgré lui j'en suis sorti !» se dit-il. Alors il jure sur le cœur et le corps de Celui qui créa l'univers qu'il ne voudrait pour tous les biens et la richesse qu'on trouve de Babylone à Gand laisser Méléagant en réchapper, une fois qu'il le tiendrait à sa merci et l'aurait vaincu ; il s'est trop mal conduit à son égard en souhaitant sa honte. Mais les événements vont lui permettre d'y parvenir ; en effet, ce même Méléagant qu'il menace sans recours était venu ce jour-là sans que personne l'ait invité. Dès son arrivée, il réclama monseigneur Gauvain avec une telle insistance qu'il put le voir. Alors il lui demande des nouvelles de Lancelot, ce coquin, ce fieffé trompeur : l'a-t-on vu et retrouvé ? Comme s'il n'en savait rien ! C'est vrai qu'il était mal informé, mais il pensait être bien au courant. Alors Gauvain lui dit la vérité, qu'il n'avait pas vu Lancelot car il n'était pas revenu. « Puisque les circonstances font que je vous trouve ici, dit Méléagant, venez donc, et remplissez votre promesse ; je ne veux pas attendre davantage. — J'honorerai d'ici peu, s'il plaît à Dieu en qui je crois, ma dette à votre égard. Je compte bien m'en acquitter. Mais si nous jouons pour gagner, et si mes coups l'emportent sur les vôtres, par Dieu et sainte Foi, j'empocherai tous les enjeux, je ne vous laisserai pas d'échappatoire. » Alors Gauvain, sans plus attendre, ordonne que l'on mette et étende sur place un tapis devant lui. Rapidement, mais en ordre, les écuyers obéissent à ses ordres, sans grogner ni récriminer. Ils prennent le tapis et l'étendent à l'endroit qu'il a indiqué ; il s'installe dessus et, sans attendre, demande qu'on lui revête ses armes : des valets sont à sa disposition, qui n'ont pas encore mis leur manteau. Il y en avait trois, qui étaient ses cousins ou ses neveux, je ne sais plus, mais vraiment experts en armes, et qualifiés. Ils surent bien l'armer, c'était du bon travail où personne n'aurait trouvé à redire jusque dans le moindre détail. Une fois Gauvain ainsi armé, l'un d'eux alla chercher un destrier d'Espagne, plus rapide à la course par les champs, les bois, les collines et les vallées que ne fut le brave Bucéphale[1]. C'est donc sur un tel cheval que monta le célèbre chevalier Gauvain, le plus expert de ceux devant qui les gens font le signe de croix. Et il voulait déjà prendre son écu quand il vit devant lui Lancelot, arrivé à l'improviste, descendre de cheval. Il le regarda avec étonnement, son arrivée avait été si soudaine! Sans mentir, Gauvain était aussi étonné que si Lancelot était à l'instant tombé du ciel. Mais rien ne peut le retenir, aucune autre nécessité l'empêcher, quand il voit que c'est bien lui, de descendre de cheval; et alors il se dirige vers lui les bras tendus, il le prend par le cou, le salue, l'embrasse. Le voilà plein de joie, le voilà tout heureux d'avoir retrouvé son compagnon. Et je vous dirai tout de suite, n'allez pas en douter, que Gauvain aurait sur-le-champ refusé d'être choisi comme roi s'il avait dû renoncer pour autant à Lancelot.

Déjà le roi sait, et tout le monde avec lui, que Lancelot, n'en déplaise à certains, après avoir été pendant de longs jours attendu, est revenu sain et sauf. C'est une réjouissance générale, et la cour se rassemble pour fêter celui qu'elle espérait depuis si longtemps retrouver. Nul, quel que soit son âge, jeune ou vieux, ne boude cette joie. Une joie qui dissipe et efface la douleur qui régnait auparavant. Le chagrin s'enfuit, se manifeste la joie qui sollicite tout le monde. Et la reine, ne participe-t-elle pas à ces manifestations de joie? — Mais si, elle en premier. — Comment cela? — Mon Dieu, où serait-elle, sinon? Jamais elle n'a éprouvé une joie semblable à celle que suscite son retour et elle ne serait pas venue à sa rencontre? Elle est en vérité si près de lui que pour un peu le corps suivrait le cœur. — Et que faisait le cœur? — Il prodiguait baisers et autres familiarités à

---

1. Nom du cheval d'Alexandre le Grand.

Lancelot. — Mais le corps, pourquoi dissimulait-il? Sa joie n'était-elle pas parfaite? Éprouvait-il de la colère et de la haine? — Non, assurément, pas du tout, mais cela pourrait bien être le cas pour certains: il y a le roi et d'autres qui sont présents et ont leurs yeux à l'affût; ils découvriraient toute l'affaire si, en présence de tous, le corps obéissait à toutes les volontés du cœur. Si la raison ne réprimait pas cette folle pensée, cet emportement, on verrait apparaître le secret de ses sentiments; ce serait alors le comble de la folie. C'est pourquoi elle enferme et retient son cœur insensé et ses idées folles. Elle l'a un peu ramené au bon sens et a remis la chose à plus tard, guettant le moment où elle verrait un endroit favorable, un endroit plus privé où ils pourraient plus tranquillement qu'en ce moment arriver à bon port. Le roi réserva à Lancelot bien des marques d'honneur, et après l'avoir convenablement fêté, il lui dit: «Ami, voilà longtemps que je n'ai pas eu d'aussi bonnes nouvelles de quelqu'un; mais je me demande sur quelle terre, dans quel pays vous avez été pendant tout ce temps. Durant tout l'hiver et tout l'été je vous ai fait rechercher, par monts et par vaux, et l'on n'a jamais pu vous trouver. — Vraiment, beau sire, fit Lancelot, je peux vous dire en deux mots ce qui m'est arrivé. Méléagant m'a retenu en prison, ce tricheur hypocrite, depuis le moment où les prisonniers retenus sur sa terre ont été délivrés, et il m'a fait mener une vie honteuse dans une tour qu'il a fait construire au bord de la mer; c'est là qu'il m'a fait mettre et enfermer, et j'y subirais encore ce régime très pénible sans une de mes amies, une jeune fille à qui j'avais jadis rendu un petit service. Pour un petit cadeau elle m'a donné une large récompense, me faisant grand honneur et me rendant un grand service. Mais à celui qui ne mérite aucune sorte de respect, celui qui est responsable, coupable, auteur de ce sort indigne et de ce crime dont j'ai été la victime, je veux régler son compte immédiatement et sans délai. C'est bien ce qu'il est venu chercher, et il va l'avoir. Il ne faut pas le faire attendre puisqu'il est tout à fait prêt ; moi aussi je suis prêt. Dieu veuille qu'il n'ait pas à s'en réjouir. » Alors Gauvain dit à Lancelot : « Ami, ce remboursement, si c'est moi qui le fais à votre créancier, je n'y aurai pas grand mérite. Moi aussi je suis prêt et à cheval, comme vous voyez. Beau doux ami, ne me refusez pas ce service que je souhaite et réclame ! » Mais Lancelot répondit qu'il se laisserait plutôt arracher de la tête un œil, voire les deux, que de se rallier à cette proposition. Il jure que cela ne peut pas se faire. C'est lui qui a une dette et il l'acquittera car il l'a juré lui-même en prêtant serment. Gauvain voit bien qu'il n'y a rien à faire, quoi qu'il dise. Il ôte le haubert qu'il avait enfilé et toute son armure. Lancelot revêt cette armure aussitôt, avec empressement ; il est impatient de voir l'heure où il aura payé et acquitté sa dette. Il ne sera pas heureux tant que Méléagant n'aura pas reçu son dû. Mais l'autre, frappé d'étonnement, est prêt de perdre la raison en voyant de ses propres yeux cet événement merveilleux. Il s'en faut de peu qu'il ne se mette à divaguer ; c'est à peine s'il garde le contrôle de ses pensées. « Vraiment, dit-il, j'ai été bien fou de ne pas aller voir, avant de venir ici, si je le tenais encore dans ma prison et dans ma tour, car il vient de me jouer un tour. Ah ! Dieu, et pourquoi y serais-je allé ? Comment, pour quelle raison aurais-je pensé qu'il pourrait en sortir ? Les murs n'étaient-ils pas assez solidement construits, la tour n'est-elle pas assez forte ni assez haute ? Il n'y avait ni trou ni faille par où il pût sortir sans aide venue du dehors. Peut-être qu'il y a eu une dénonciation. Admettons que les murs se soient détériorés, qu'ils se soient éboulés et écroulés ; n'aurait-il pas été écrasé par eux, tué, mis en morceaux et broyé ? Bien sûr que si, par Dieu, s'ils étaient tombés, à coup sûr il serait mort. Mais, je pense, avant que les murs ne faiblissent toute la mer aussi fera défaut, il ne restera plus une goutte d'eau, et ce sera la fin du monde ; à moins qu'ils ne soient abattus par une force extérieure. Mais il en va tout autrement, cela ne s'est pas passé ainsi. Il aura reçu de l'aide pour sortir, il n'a pas pu s'envoler autrement. C'est un complot qui m'a joué ce tour. Quoi qu'il en soit, le voilà dehors. Si j'avais fait plus attention, cela ne serait pas arrivé, il ne serait pas venu à la cour. Mais il est trop tard pour se repentir. Celle qui ne trompe jamais, la sagesse populaire, dit bien une vérité établie, qu'il est trop tard pour fermer l'écurie quand le cheval a été volé. Je sais bien qu'on va me traîner dans la boue et dans la honte si je n'affronte pas l'épreuve de la souffrance. Souffrir, endurer quoi ? Tant que je pourrai tenir, je lui donnerai de quoi s'occuper, s'il plaît à Dieu à qui je fais confiance. » C'est ainsi qu'il cherche à reprendre assurance et il n'aspire à plus rien d'autre qu'à leur rencontre sur le champ de bataille. Et le moment était arrivé, je crois, car Lancelot allait le chercher, pensant bien le vaincre rapidement. Mais avant leur assaut le roi dit à chacun de descendre dans la lande au pied du donjon (c'est la plus belle lande qu'on puisse trouver jusqu'en Irlande). C'est ce qu'ils ont fait ; ils s'y sont rendus en dévalant rapidement la pente. Le roi s'y est aussi rendu, suivi par tout le monde, hommes et femmes, par troupes entières et par groupes. Tous se sont rendus là, personne ne restant en arrière ; mais aux fenêtres aussi se sont installées, avec la reine, dames et demoiselles pour voir Lancelot.

Sur la lande il y avait un sycomore[1], le plus beau qu'on puisse trouver ; il tenait beaucoup de place, tant il avait largement poussé. Tout autour une herbe fine formait une bordure fraîche et belle, qui se renouvelait en toute saison.

---

1. Figuier originaire d'Égypte.

Sous ce noble et beau sycomore, planté au temps d'Abel[1], jaillissait une source au débit rapide. Elle courait sur un beau et clair gravier de couleur argentée depuis une conduite fondue en or fin, je pense, à travers la lande, suivant la pente jusqu'à un vallon entre deux bois. C'est là que le roi avait décidé de s'asseoir, trouvant l'endroit très agréable. Il fit se retirer les gens en arrière. Alors Lancelot fonça vers Méléagant de tout son élan, comme transporté par la haine. Mais avant de le frapper il lui cria d'une voix haute et farouche : «Avancez par ici, je vous lance un défi ! Et sachez bien que je ne vous épargnerai pas !» Puis il éperonna son cheval, le ramenant en arrière pour prendre du champ à environ une portée d'arc. Ils se précipitèrent alors l'un vers l'autre de toute la vitesse de leurs chevaux. Ils ont d'abord frappé sur leurs écus, que malgré leur solidité ils transpercent sans cependant se blesser ni s'atteindre dans leur chair, ni l'un ni l'autre pour cette fois. Ils se sont croisés rapidement mais reviennent au galop de leurs chevaux frapper sur leurs écus solides et résistants. Ils ont encore montré leur force, en chevaliers courageux et vaillants portés par des chevaux robustes et rapides. La force de leurs coups appliqués sur les écus pendus à leur cou a fait traverser leurs lances sans qu'elles se fendent ni se brisent, si bien qu'elles ont atteint cette fois leur chair mise à nu. Chacun a poussé de toutes ses forces, jetant l'autre à terre sans qu'aient pu résister poitrails, sangles ni étriers pour les empêcher de vider leur selle et de tomber sur la terre nue. Les chevaux affolés partirent dans tous les sens ; ruant ou mordant, ils cherchaient aussi à s'entretuer. Après leur chute les chevaliers se relevèrent le plus vite possible, tirant leurs épées où étaient gravées leurs devises. Tenant l'écu à

---

1. Dans la Bible, second fils d'Adam et Ève. Pasteur, il offre un agneau au Seigneur. Son frère Caïn, jaloux, le tue.

hauteur du visage pour se protéger, ils cherchèrent désormais une ouverture pour faire mal avec leur épée d'acier tranchant. Lancelot n'avait pas peur car il était deux fois plus habile que Méléagant au maniement de l'épée, l'ayant appris dès son enfance. Ils se donnent tous les deux de grands coups sur leurs écus et sur les heaumes lamés d'or, si bien qu'ils les ont fendus et bosselés. Mais Lancelot presse son adversaire de plus en plus, et voilà qu'il lui assène puissamment un grand coup sur le bras droit que l'écu a laissé à découvert, et malgré le fer qui le protège il le tranche net. Se sentant mutilé, Méléagant dit qu'il lui vendra cher sa main droite ainsi perdue. Si l'occasion s'en présente, il n'hésitera pas, rien ne le retiendra. En fait, il éprouve une telle douleur, une telle colère, une telle rage qu'il n'est pas loin de devenir fou ; il se tient pour méprisable s'il ne réserve pas à son adversaire un mauvais coup de sa façon. Il court vers lui, pensant le surprendre, mais Lancelot est sur ses gardes. Du tranchant de son épée, il lui a fait une telle brèche et entaille que l'autre ne s'en remettra pas avant que ne passent avril et mai ; car le coup qu'il lui donne sur le nasal le lui fait rentrer dans les dents, dont trois se brisent dans sa bouche. La fureur de Méléagant est telle qu'il ne peut plus parler ni dire un mot, et il ne daigne pas demander grâce, car la folie de son cœur lui donne un mauvais conseil dont il reste prisonnier et ligoté. Lancelot s'approche, il lui délace son heaume et lui tranche la tête. Celui-là ne pourra plus lui échapper : il est tombé mort, c'en est fait de lui. Je peux vous dire que personne dans l'assistance à ce spectacle n'éprouve de pitié pour lui. Le roi et tous ceux qui sont là manifestent une grande joie. Alors Lancelot est désarmé par les plus enthousiastes, et il est promené en triomphe.

Seigneurs, si je continuais mon récit je sortirais de mon sujet. C'est pourquoi je me dispose à conclure : ici s'arrête tout à fait le roman. Le clerc Godefroi de Lagny a achevé *La Charrette*. Mais que personne ne lui reproche d'avoir continué le travail de Chrétien, car il l'a fait avec le complet accord de Chrétien qui l'a commencé. Son travail a débuté au moment où Lancelot est mis en prison, et duré jusqu'à la fin. C'est tout ce qu'il a fait, il ne veut rien y ajouter ni rien en retrancher : ce serait nuire à la qualité du conte.

ICI SE TERMINE LE ROMAN
DE LANCELOT DE LA CHARRETTE

Du tableau
_____

au texte

Isabelle Varloteaux

Du tableau au texte

La Belle Dame sans merci
de John William Waterhouse

… le désir d'un art noble, riche de valeurs…

En 1848, cela fait onze ans que la reine Victoria dirige la destinée de l'Empire britannique, dont elle fera à terme la première puissance mondiale. Le contexte artistique qui prévaut alors est celui d'une création qui s'appuie sur des règles strictes pour la représentation de tout type de sujet. En réaction à ce formalisme et à cet académisme victorien, de jeunes étudiants de la Royal Academy de Londres s'affranchissent de ce qu'ils considèrent comme un diktat esthétique pour promouvoir une nouvelle forme de peinture. Dante Gabriel Rossetti, William Holman Hunt et John Everett Millais, pour les plus importants d'entre eux, fondent donc la Confrérie préraphaélite qui va se révéler être le mouvement le plus influent de l'histoire de l'art anglais (1848-1884).

Avec ces peintres s'affirme désormais le désir d'un art noble, riche de valeurs, qui permettrait d'élever l'esprit du spectateur. Pour eux, un bon tableau est porteur d'idées, associant une morale et un souci d'enseignement à une image romantique. L'idéal de ces artistes est de retrouver un art spontané, inspiré de la nature, tel qu'il apparaît dans l'œuvre des primitifs italiens avant Raphaël (1483-1520) et dont le modèle de référence se situe à Pise : les fresques du Campo Santo, peintes au XIVe siècle. Ils empruntent leurs sujets à la Bible, à la poésie et au monde de la mythologie ou des légendes médiévales.

… une passion médiévale dans toute l'Europe…

La Belle Dame sans merci, de l'artiste John William Waterhouse, le dernier des peintres préraphaélites, traduit l'intérêt que le XIXe siècle nourrit pour le Moyen Âge. Cette époque permet aux artistes, peintres ou poètes, d'exprimer une gamme de sentiments en rupture avec le climat social et politique de leur siècle. La redécouverte de l'art gothique en matière d'architecture, de miniature, d'enluminure est à l'origine du développement de cette passion pour l'art médiéval dans toute l'Europe (Napoléon n'a-t-il pas en effet pris comme emblème le semis d'abeilles d'or de la tombe du roi mérovingien Childéric ?), comme en témoigne notamment l'intérêt des artistes pour la poésie arthurienne.

Le cycle arthurien est un ensemble de textes créés au Moyen Âge autour de la quête du Graal et du roi Arthur. Cette somme de différents écrits a été établie par des moines collecteurs ou des auteurs comme Chrétien de Troyes autour de la légende de Lancelot. Ce dernier, chevalier riche de toutes les qualités au point que l'on « n'en verrait pas de si beau ni de si noble » doit, au risque de sa vie, délivrer de Méléagant l'épouse du roi Arthur, la reine Guenièvre, dont il est secrètement épris.

... faire du modèle féminin une icône...

Tandis que règne Victoria, de 1837 à 1901, l'image de la femme évolue. De la militante Caroline Norton qui dès 1836 défend les droits de l'épouse, à la femme soumise restant dans son foyer sous l'autorité d'un mari soucieux de son pouvoir, l'éventail des profils féminins est très large. Néanmoins, c'est à un modèle type de femmes que les artistes issus du mouvement préraphaélite s'attachent. De la mode victorienne, les peintres gardent bien souvent la coiffure *alla Madonna* qui sépare d'une raie une chevelure nette et lisse, parfois ramenée sur les oreilles en arrondi, le teint clair voire transparent, comme l'âme qu'il est censé refléter, les joues pleines et la bouche petite comme un bouton de rose. Tout est fait pour que le physique soumis à une élégance du naturel et de la modestie soit sublimé par le vêtement fait de draps délicatement moirés, de soies fines et de laines imprimées de motifs floraux.

Tandis qu'ils s'appliquent à faire du modèle féminin une icône de leur mouvement, les préraphaélites ont à cœur de se tenir au plus près de la nature. Cela induit donc un traitement de la figure humaine particulièrement expressif — « Un visage qui d'ordinaire n'a rien de remarquable peut sous le choc de l'émotion devenir beau » (Charles Bell, 1816) — mais aussi une peinture de plein air, nourrie d'anecdotes — « le froid ici est terrible quand il ne pleut pas et puis quand il pleut, c'est la nuit qui est terrible », écrit Dante Gabriel Rossetti.

… les mots d'un soupirant face à la froideur de sa dame…

    La Belle Dame sans merci est inspirée d'un poème de John Keats (1795-1821), lui-même tiré d'une œuvre poétique écrite à la fin du xive siècle par un écrivain et diplomate français, Alain Chartier, *La Belle Dame sans mercy*. Ce poème qui donne à entendre les mots d'un soupirant face à la froideur de sa dame a des résonances particulières jusque dans la littérature du xixe siècle, comme en témoignent les vers de Gérard de Nerval, dans *El Desdichado* :

> J'ai rencontré une dame dans les prés
> Très belle, la fille d'une fée
> Ses cheveux étaient longs, ses pieds légers
> Et ses yeux sauvages

    L'image de la femme évoquée ici par le poète semble d'une certaine manière trouver ses correspondances dans le tableau du peintre anglais mais aussi dans certains rôles féminins chez Chrétien de Troyes : « une demoiselle très belle et très charmante et fort élégamment vêtue ».

    Ce qui est marquant dans l'œuvre de John William Waterhouse, c'est la volonté d'exprimer en peinture ce que Keats a traduit dans sa poésie : la vision d'une femme dominant de son expression fatale et lointaine un homme imprégné de fortes valeurs viriles.

… la puissance et le rayonnement de la gente féminine…

    Sur un fond végétal qui associe un rideau d'arbres aux troncs bien droits, à l'arrière-plan, à un parterre de feuilles rousses (symbole du passage du temps) et de mousse, le peintre décide de poser son sujet : la rencontre d'un chevalier en armure avec une toute jeune femme au charme puissant.

Cette scène peut nous rappeler les différentes rencontres féminines que fait Lancelot au cours de sa quête, sous les traits énigmatiques et mystérieux de quelques jeunes filles croisées au hasard du chemin sur la lande ou dans les bois : la demoiselle qui renseigne le chevalier, une séductrice pressée de lui faire rompre son serment de fidélité, ou bien la sœur de l'ennemi Méléagant qui le délivre de sa prison, mais aussi et surtout la reine, qui a tout pouvoir sur le cœur du héros. L'imagerie féminine de Chrétien de Troyes souligne l'importance accordée à la femme au Moyen Âge.

L'influence au XIIe siècle d'Aliénor d'Aquitaine puis de sa fille Marie de France, pour laquelle Chrétien de Troyes écrit, témoigne au fil du temps de la puissance de la gente féminine sur la pensée. L'auteur de *Lancelot* fait preuve de sa soumission vis-à-vis de la fille du roi Louis VII : « Puisque ma dame de Champagne veut que j'entreprenne la composition d'un roman, je l'entreprendrai très volontiers en homme qui se met totalement à son service… » L'écrivain est sous l'emprise de celle qui réunit autour d'elle à Troyes une cour réputée pour son rayonnement poétique et littéraire. Le chevalier de John William Waterhouse semble soumis à la même domination. Agenouillé face à une jeune femme assise au sol, qui le retient, le cou en avant, il ne paraît pas pouvoir se dégager au risque d'user d'une certaine brutalité.

… la fascination des peintres pour la fin'amor…

Cette composition témoigne de la fascination des peintres pour la *fin'amor*, appelée aussi «amour courtois», tradition qui réglemente les relations amoureuses à la cour, et plus particulièrement l'art de la séduction.

L'homme, souvent d'un rang social inférieur à celui de sa dame, se doit d'être à son service, à l'affût de ses désirs, et de lui rester fidèle. La fidélité, vertu essentielle dans le code de la chevalerie, entre parfois en contradiction avec la loyauté que le chevalier doit avoir vis-à-vis de son suzerain. Ce schéma se trouve ainsi exposé dans l'histoire de Lancelot, dont la dame est l'épouse du roi Arthur auquel, par ailleurs, il a fait serment d'allégeance.

L'amour courtois, en s'imposant progressivement dans les mœurs, a permis de laisser une place à l'amour dans la vie quotidienne, au-delà du mariage. En effet, il est devenu d'usage pour une femme mariée de laisser parler son cœur si elle est courtisée selon les règles précises de la *fin'amor*. De cette façon, les jeunes gens sont bien souvent prêts à séduire la dame pour mieux plaire à leur seigneur.

… «*Le chevalier n'a qu'un cœur*»…

L'ambiguïté du rapport amoureux, qui mêle désir et vertu, est illustrée par l'étrange relation que le peintre suggère au sein du couple qu'il représente. Genoux au sol, la main gauche en arrière, le coude coincé derrière un solide arbrisseau, le chevalier de John William Waterhouse semble lutter. Peut-il se laisser attirer davantage par la jeune femme pour un baiser sur ses lèvres écarlates ? Doit-il au contraire se retenir à la végétation pour s'empêcher de céder à son désir ? La scène s'impose par son propre paradoxe : lourdement armé et protégé par une cuirasse aux reflets bruns et argentés, le chevalier paraît soudain d'une étrange fragilité. Le col enserré par une étoffe qui se confond avec les longs cheveux châtains de la demoiselle, cet homme devient une proie particulière. La femme peut faire de lui ce qu'elle souhaite : sa seule présence fait perdre tous ses moyens à son soupirant, comme en témoigne l'attitude surprenante et juvénile du chevalier Lancelot qui en plein combat contre Méléagant perd soudainement ses repères en apercevant la reine à la fenêtre. La soumission masculine se révèle de nouveau dans le roman quand Lancelot, en combattant énigmatique, suit à la lettre les ordres de la reine, pendant un tournoi, tel un chevalier qui «veut sans réserve obéir».

La jeune femme du tableau, au teint d'ivoire et à la beauté mélancolique, exprime de façon paradoxale une sorte de regret tout autant qu'une attente. Avec ses joues rosies et ses lèvres d'un rouge vif, elle apparaît dans ce sous-bois d'automne comme une nymphe de chair et de sang. Le contraste offert par la nudité de ses pieds et la riche apparence de sa robe, faite d'étoffes brunes aux effets moirés, et de son jupon aux ruchés brodés de perles contribue à maintenir le mystère sur sa présence dans cet endroit. De la reine que Lancelot doit délivrer et que les artistes préraphaélites ont voulu voir en toute femme, John William Waterhouse, lui, fait une femme au pouvoir surnaturel, «cette dame était une fée»…

Son geste, visant à attirer vers elle la tête du chevalier, dévoile une de ses épaules que ses longs cheveux, comme un voile, laissent découverte. Sur la manche de son bras droit, qui maintient avec force son emprise sur le chevalier, on peut remarquer un cœur brodé. Il n'est pas sans nous renvoyer à l'image du cœur dont nous parle le romancier : « Le chevalier n'a qu'un cœur, qui en fait ne lui appartient plus, mais a été réservé à quelqu'un, si bien qu'il ne peut plus le prêter à une autre. » La femme ici représentée ne pourrait-elle pas se prévaloir de symboliser la reine Guenièvre à qui Lancelot a donné son cœur ?

… Au-delà du couple, le paysage intrigue…

Tout dans la composition du tableau nourrit l'étrange. Au-delà du couple, le paysage intrigue. En arrière-plan, les troncs d'arbres ont une verticalité qui rappelle les barreaux protégeant la chambre de la reine et que Lancelot réussit à éliminer pour pouvoir vivre pleinement son rendez-vous nocturne. Par ailleurs, ces mêmes lignes verticales construisent à leur façon l'image d'une cage dont le couple serait le prisonnier. L'amour serait-il, avec ses codes et ses engagements, une sorte de prison au sein de laquelle l'homme et la femme doivent vivre ? Peut-être s'agit-il aussi du symbole de l'emprise amoureuse dont l'individu peine à se défaire comme s'il s'agissait d'un enchantement.

Derrière cet écran fait de troncs bruns, une rivière aux reflets gris semble couler. Nouvelle expression du temps qui passe, ce cours d'eau n'est pas sans rappeler l'importance de l'élément liquide dans l'aventure de Lancelot. Doit-on évoquer ici le passage du Pont de l'Épée, « pont jeté au-dessus de l'eau froide », nouvelle épreuve qui s'impose au héros de Chrétien de Troyes et dont il sort vainqueur pour poursuivre « une cause qui est celle de la reine Guenièvre, et rien de moins ».

… une relation presque impitoyable…

De cette scène entre une frêle jeune femme et un robuste chevalier en arme, au titre évocateur — *La Belle Dame sans merci* —, on peut retenir la toute-puissance d'une relation presque impitoyable. Le tableau de John William Waterhouse est étrange mais il regorge d'allusions au code médiéval qui structure la relation amoureuse et la société dans son ensemble. Si la force virile et armée se laisse toucher de façon troublante et paradoxale par la fragilité et la poésie, l'image de la femme, quant à elle, véhicule un jeu complexe de puissance et de délicatesse.

D'un sujet intemporel comme celui du lien amoureux, le peintre anglais donne une représentation pleine de talent, en réunissant de manière harmonieuse le réalisme d'une nature automnale et une scène empreinte d'une grande poésie romantique.

L'œuvre picturale de John William Waterhouse partage avec le roman de Chrétien de Troyes, *Lancelot ou le Chevalier à la Charrette*, un véritable intérêt pour la psychologie féminine. À partir de cette époque, qui a vu s'établir le courant préraphaélite, l'image de la femme s'est imposée, dans l'art européen de la fin du XIXe siècle, comme une icône de la modernité. Désormais, de même que dans le roman médiéval, la Femme s'incarne en une multitude de représentations formelles et sensibles.

Le texte

en perspective

Virginie Barrabès

Vie littéraire

L'univers médiéval

1.

La société féodale

1. *Entre troubles et profondes mutations*

La société féodale comprend trois classes. Ceux qui prient : le clergé (cardinaux, évêques, prêtres, moines et religieuses). Ceux qui se battent : les nobles (ducs, marquis, comtes, etc.), les chevaliers issus de la paysannerie, ils vivent dans les châteaux forts, chassent, accompagnent le suzerain à la guerre. Ceux qui travaillent : les paysans (« serfs », ils appartiennent au seigneur, « vilains », ils sont libres mais versent de nombreux impôts au seigneur et au clergé) et les bourgeois (artisans et marchands des villes).

C'est donc une société très hiérarchisée, et en profonde mutation durant les sept siècles que couvre la période médiévale. En effet, le Moyen Âge s'étend du VIIIᵉ jusqu'au XVᵉ siècle, entre l'Antiquité et la Renaissance.

On a coutume de penser qu'il s'agit d'une époque de troubles, de guerres, de violence. Tout ceci est exact ;

pour preuve, il suffit de se pencher sur le XIVᵉ siècle ravagé par la peste noire et la guerre de Cent Ans, fléaux qui ont provoqué des milliers de morts ainsi qu'une situation économique catastrophique ; rien de plus normal que d'appeler la période suivante la « Renaissance »…

Pourtant, le Moyen Âge constitue aussi un tournant important, notamment aux XIIᵉ et XIIIᵉ siècles : la monarchie organise les débuts d'une gestion de l'État français, basée sur la centralisation ; on assiste à une reprise de la démographie, une croissance des échanges commerciaux à travers le pays et une ouverture sur l'étranger, ainsi qu'un développement de l'architecture. Nombreuses sont les constructions d'églises, d'abord romanes aux XIIᵉ et XIIIᵉ siècles, puis gothiques. Par exemple, la nef et le chœur de la cathédrale Notre-Dame de Paris ont été construits entre 1163 et 1196.

2. *La culture, au-delà de la cour*

Ce qui n'était autrefois réservé qu'à la cour s'ouvre à un plus grand nombre : il est évident que les bouleversements politiques et les changements profonds que vit le monde féodal ont une influence sur la culture. Même si les chevaliers partent encore en croisade, l'époque est moins troublée, les menaces d'invasions et de guerres s'éloignent ; on voit alors se dessiner une nouvelle société, plus paisible, qui accorde plus de temps aux divertissements et à la culture.

Le chevalier n'est plus seulement un guerrier expert en armes, il se cultive et se place au centre d'une immense production littéraire qui lui renvoie une image nouvelle de lui-même, certes un peu idéalisée. La chevalerie, incarnée par les héros romanesques, sert de modèle aux nobles qui désirent réaffirmer leur prestige, et permet un renouvellement de leur légitimité. On veut en finir avec l'aspect peu reluisant des récits de combats, de beuveries et actes infâmes en tout genre qui retracent des agissements peu « chevaleresques », au sens anachronique du terme.

Nous voyons bien que la réalité sociale du chevalier est éloignée de l'image aristocratique que la littérature orale et écrite a donnée de lui. Cependant, on ne peut reprocher aux arts d'avoir ouvert la chevalerie à la beauté, alliant code d'honneur, qualités physiques et courtoisie.

2.

La vie artistique et littéraire

1. *La place de l'écrivain*

L'écrivain dépend étroitement de la structure sociale féodale. La culture est diffusée par l'Église ; les moines, les clercs sont auteurs de textes savants ou de leur vulgarisation pour les rendre accessibles au public. Ils sont aussi les auteurs de textes comiques et satiriques ; ceci est très bien montré dans le film de Jean-Jacques Annaud, *Le Nom de la rose* (1986), adapté du roman d'Umberto Eco.

À partir du XIIe siècle, on assiste à de tels changements politiques que l'on voit naître une nouvelle classe : la bourgeoisie. Aussi, devant cette montée en puissance, les seigneurs demandent-ils aux artistes (écrivains, poètes, jongleurs) de chanter les valeurs de l'aristocratie. De riches personnalités permettent alors aux artistes de vivre de leur art, c'est le début du mécénat.

2. *L'émergence de l'auteur*

La culture ne cesse de se développer par la diversité des productions et la multiplication des ouvrages. La production littéraire continue à employer plusieurs corps de métiers puisqu'il faut préparer les parchemins, copier et enluminer (décorer) les ouvrages. Deux types d'artistes émergent lentement : l'écrivain et le peintre.

Au XIIe siècle, ce sont surtout des textes en latin qui sont recopiés sur les parchemins. Mais on voit apparaître une nouvelle catégorie d'histoires, adaptées des auteurs latins en langue romane. Le passage d'une langue à l'autre offre une liberté nouvelle au copiste, une liberté créatrice. La notion d'auteur vient de naître, puisque celui qui raconte et qui écrit s'inscrit véritablement dans l'histoire qu'il propose : il assume personnellement ce qu'il dit. Cela se lit très clairement dans les prologues de Chrétien de Troyes, comme dans chacune de ses interventions au cours de la narration.

3.

Un savant assemblage de trois matières

Chrétien de Troyes fait prendre un tournant capital au roman en inscrivant dans ses textes la légende arthurienne. Il infléchit l'écriture romanesque et l'image des chevaliers, à un moment clé de l'histoire de France.

Le roman se présente comme un genre hybride, il emprunte à la chanson de geste et à la poésie courtoise aussi bien qu'aux romans antiques. Chrétien de Troyes, en faisant se rencontrer deux grands mythes, l'utopie de l'amour courtois et le Graal, forge la structure de la fiction romanesque. Il met au centre un personnage : le chevalier. Lui seul se prête à une évolution : du statut de héros, il finira par donner naissance au personnage de roman.

1. *La matière de Rome*

L'expression renvoie seulement à trois textes, écrits par des clercs (le *Roman de Thèbes*, le *Roman de Troie*, le *Roman d'Énéas*), qui s'inspirent tous trois d'histoires de l'Antiquité. Ces romans peuvent paraître fastidieux à lire de nos jours, mais ils représentaient à l'époque de fabuleuses aventures : des héros de l'Antiquité y étaient mis en scène à la mode médiévale.

Thèbes conte les luttes fratricides d'Étéocle et Polynice pour la possession de Thèbes et le siège de la ville, après le départ d'Œdipe. L'ouvrage est directement inspiré de la *Thébaïde* de Stace, et se rapproche de la chanson de geste dans sa forme. *Énéas* reprend le schéma narratif de *L'Énéide* de Virgile, en ajoutant un épisode sur les amours heureuses d'Énée et Lavinia, qui s'opposent à celles d'Énée et Didon. *Troie* raconte le siège et la prise de la ville, après l'expédition des Argonautes et les amours de Jason et Médée, puis s'achève sur le retour des chefs grecs et la mort d'Ulysse.

Ces récits foisonnent de descriptions, de portraits en tout genre, objets, villes, tombeaux… tout en gardant la vigueur de la tonalité épique dans l'évocation des combats.

2. *La matière de France*

Elle est constituée des chansons de geste élabo-
rées autour de la figure sublimée de Charlemagne. Le
public aimait à entendre des histoires essentiellement
construites sur des récits de combats, des prouesses
guerrières, les exploits de héros historiques tels que
Roland, le neveu du roi. Ce sont de longs poèmes, lus
ou chantés, accompagnés de musique, d'où l'appellation de « chanson » (« geste » vient du latin « *gesta* » qui
signifie « exploits »). On peut facilement imaginer l'am-
biance festive d'une soirée à la cour d'un seigneur
lorsque jongleurs et ménestrels donnaient vie aux vers
de *La Chanson de Roland* (vers 1090), célèbre chanson
de geste qui retrace les exploits des chevaliers aux
temps des Carolingiens.

La matière de France s'inspire sur le plan formel du
modèle épique de l'Antiquité, que l'on connaît bien à
travers *L'Iliade* et *L'Odyssée* d'Homère, ou *L'Énéide* de
Virgile. Chrétien de Troyes s'y essaiera dans son roman
Cligès.

3. *La matière de Bretagne*

La France du Moyen Âge s'étend jusqu'à l'Angleterre.
Elle baigne donc dans l'imaginaire du peuple celte, dans
ces récits qui rapportent des aventures merveilleuses où
les humains voyagent avec les fées vers l'Autre Monde.

On appelle cet ensemble d'histoires et de légendes
« la matière de Bretagne ». Arthur en est le pivot, l'élément central. Représentation du chef qui a su rétablir
la paix et la prospérité dans le royaume, il représente
l'idéal chevaleresque. La légende dit qu'il est né à Tin-

tagel, sur la côte nord des Cornouailles, et serait enterré dans l'île d'Avalon. Il tient sa cour à Carduel, au pays de Galles, et est entouré de chevaliers qui siègent autour de la Table Ronde. Sa forme circulaire répond au souci d'équité du roi Arthur, car en éliminant les places privilégiées, elle permet que les chevaliers partent à l'aventure à armes égales. C'est l'apogée de la chevalerie, le temps où le roi incarne la justice. À la croisée de l'Histoire et de la légende, à la limite entre réel et imaginaire, les aventures de la Table Ronde reflètent une société utopique.

Chrétien de Troyes est le premier à croiser les traditions française et bretonne (d'origine celtique) pour inventer des récits où se mêlent références chrétiennes et païennes. Le personnage d'Arthur est au centre de sa création, et les différents récits sont nourris des aventures de ses chevaliers : Érec, Yvain, Gauvain, Lancelot, Perceval.

La «recette» du roman tel que Chrétien de Troyes l'a conçu ne serait pas savoureuse sans un ingrédient qui traverse toute son œuvre : le code courtois. Le chevalier étant le pivot de la fiction romanesque, c'est à lui que revient cet engagement, hérité de la lyrique amoureuse.

4.

La courtoisie, une conception de la vie et de l'amour

Parallèlement au roman se développe un courant poétique que l'on appelle la *fin'amor*, l'amour courtois, qui s'appuie sur des valeurs nouvellement exaltées. Il repose sur l'idée que l'amour se confond avec le désir, désir par définition toujours inassouvi.

La courtoisie exige la noblesse du cœur, le désinté-ressement, la libéralité, la bonne éducation, des valeurs morales telles que la générosité, la délicatesse, la mesure, la loyauté. C'est une conception de l'amour où la femme est au centre de tout. Le chevalier est un cheva-lier servant puisqu'il se met à la disposition de sa dame, jusqu'au péril de sa vie ; il se sacrifie pour elle, pour la passion qui le mène à un dépassement de lui-même. L'amant courtois fait de celle qu'il aime sa dame, c'est-à-dire sa « suzeraine » au sens féodal. Il se plie à tous ses caprices, et son seul but est de mériter des faveurs qu'elle est toujours en droit d'accorder ou de refuser librement. La relation de Lancelot et Guenièvre en est un parfait exemple.

Cette conception quasiment religieuse de l'amour a été élaborée par les troubadours du midi de la France et, à partir du XIIᵉ siècle, elle inspire les poètes et les romanciers. Les plus célèbres de ces poètes sont, au nord, Thibaud de Champagne (1201-1253), et au sud, Guillaume IX (1071-1127), Bertrand de Born (1140-1215) et Bernard de Ventadour (vers 1150-1200).

La courtoisie trouve naturellement sa place dans le roman, car le chevalier est mis à l'épreuve au nom de l'amour. L'amour multiplie les bonnes qualités de celui qui l'éprouve, et lui permet même de développer celles qu'il n'a pas. La femme, à ce titre, tient un rôle essen-tiel et nouveau dans le récit d'aventures.

5.

Le monde arthurien
dans la littérature romanesque

S i la plupart des romans se situent au temps d'Arthur, il n'en est pas pour autant le héros. Il est le garant des valeurs chevaleresques et amoureuses. L'Histoire n'est plus le sujet dans l'œuvre de Chrétien de Troyes. On voit s'entremêler la figure du roi Arthur, la féerie des légendes, un temps quasi mythique, un cadre prétexte à l'idéalisation, dans un monde fictif. Le roman se pose ainsi comme le fragment d'une vie : un chevalier joue son existence le temps du récit.

On note certains éléments récurrents qui servent systématiquement d'amorce aux aventures, comme la fête, le tournoi, la cérémonie. Le chevalier, à peine sorti du château du roi Arthur, traverse une forêt toute proche, entre dans un monde inconnu et menaçant. Il rencontre des personnages qu'il connaît, ou dont il a entendu parler, et qui seront finalement maîtres de son destin s'il ne cherche pas à se dépasser lui-même. Les aventures vécues par le chevalier sont à la fois la cause et le signe de son évolution intérieure. L'enjeu est dès lors nouveau, Chrétien de Troyes invente une figure littéraire : le héros à la découverte de soi-même, de l'amour et de l'autre.

6.

Qu'est-ce qu'un roman ?

Un roman est un texte écrit en octosyllabes, des vers de huit syllabes qui riment deux à deux, en langue romane. Rappelons que la prose n'apparaît qu'au XIIIᵉ siècle.

Chrétien de Troyes conduit la destinée d'un personnage fictif, pris en charge dans le prologue par un personnage lui aussi fictif, qui souvent n'appartient pas à l'histoire. Le prologue est avant tout le lieu qui sert de référence historique, et nous permet de comprendre dans quel cadre se situe l'œuvre. Mais c'est aussi le lieu d'un discours sur l'acte même d'écrire et sa justification. À l'origine, il s'agit d'un texte introductif. Le prologue s'inscrit dans une tradition établie depuis l'Antiquité ; c'est un exercice de style, très rhétorique, dont les codes ont été mis en place par les différents arts poétiques du Moyen Âge. Le romancier se porte garant de la transmission du savoir des Anciens ; il fait figure de lien et revendique l'autorité de la tradition.

Mais il affirme aussi « translater », c'est-à-dire traduire en déplaçant, soit réécrire et apporter sa touche personnelle. Sous l'apparente modestie se cache déjà un artisan des mots en devenir… Force est de constater dans les romans de Chrétien de Troyes un savoir-faire poétique, ses ouvrages sont soigneusement élaborés. L'auteur n'hésite pas à établir une complicité avec son lecteur, comme le trouvère avec son public, par un regard amusé sur certains actes des chevaliers. Les interventions du narrateur, tour à tour sentencieuses et humoristiques, donnent de la vivacité au texte. C'est peut-être là que se loge la création romanesque, dans l'utilisation de motifs que Chrétien de Troyes s'approprie. Le roman arthurien devient le lieu de l'aventure, tant du point de vue du contenu narratif que de l'écriture elle-même.

Le roman au XIIe siècle étend son champ d'expérimentation ; dans le cadre serré de la transmission, sous le poids de la contrainte, peut s'épanouir la créativité du romancier, puisque tout reste à dire dans cette nouvelle langue, le « roman »…

Pour conclure, nous pouvons citer Bernard de Chartres, homme de lettres mais aussi membre du clergé, qui expliquait à ses disciples au XIIe siècle :

> Nous sommes comparables à des nains placés sur des épaules de géants : nous voyons donc plus de choses qu'ils n'en ont vu et nous voyons plus loin qu'eux. La raison de cela, ce n'est ni l'acuité de notre propre regard ni la supériorité de notre taille ; c'est que nous sommes portés et surélevés par la haute stature des géants.

L'écrivain
à sa table de travail

Chrétien de Troyes,
à la croisée de deux mondes

1.

Chrétien de Troyes, héros du jeu de piste

E ntrer dans l'univers médiéval par le biais de la littérature suppose une bonne dose d'imagination, une
forte propension à aimer les jeux de rôles. Chrétien de
Troyes apporte à la fiction romanesque une dimension
nouvelle. On entre dans un monde qui oscille en permanence entre rêve et réalité, et la réalité qui est évo-
quée provient d'un univers auquel nous n'avons aucun
moyen de participer. Le Moyen Âge est l'exemple même
du passé proche et lointain, étranger et voisin à la fois.

1. *Entre tradition et nouveauté*

Lorsqu'on affirme que Chrétien de Troyes est un
grand auteur, y compris à son époque, c'est parce qu'il
est un des hommes qui symbolisent un réel tournant
dans la culture au Moyen Âge. Il a, en effet, apporté à
la littérature une forme nouvelle. Il a su s'inspirer des
cultures dont il s'est nourri par ses rencontres, ses
voyages, pour créer un univers cohérent. Si bien que

certains personnages, certains motifs, sont réécrits en s'inspirant du passé, mais dans un souci d'assemblage, de « conjointure », comme Chrétien de Troyes se plaît à le qualifier.

En joignant matière antique et matière de Bretagne, il construit un système social, une communauté complexe, avec un personnage central, Arthur, garant de l'équilibre du monde qu'il représente, c'est-à-dire de la tradition. Or, que voyons-nous dans les romans de Chrétien de Troyes ? Le royaume est toujours mis en péril, l'équilibre est brisé et c'est aux chevaliers de partir à l'aventure pour rétablir la paix. *Le Chevalier de la Charrette* débute par le passage de la reine Guenièvre dans l'Autre Monde. Guenièvre est enlevée par un être maléfique. Le roman nous plonge d'emblée dans la féerie. Un héros sans nom part à sa recherche, mais l'on devine très vite la raison de sa détermination : l'amour qu'il voue à la reine. La *fin'amor* est donc immédiatement au centre de l'œuvre : Lancelot choisit de se soumettre à sa passion, malgré l'interdit qui pèse sur cet amour.

2. *Jeux de miroirs*

Arthur règne sur le royaume de Logres, Bademagu règne sur le royaume de Gorre. Le roman se divise en deux espaces distincts ; certains personnages traverseront ces deux mondes, comme Lancelot pour ramener Guenièvre. Le fils de Bademagu, Méléagant, un chevalier très fort et très grand, est le ravisseur de Guenièvre. Il est l'élément perturbateur de l'équilibre initial, un géant monstrueux.

Chrétien de Troyes joue en permanence avec la notion de « double ». Tentons un inventaire : double mission de Lancelot (délivrer la reine et les captifs du royaume de Logres), bipartition du monde (la réalité et le merveilleux), aventures parallèles de Gauvain et de Lancelot (le Pont sous l'Eau et le Pont de l'Épée), double disparition du héros (emprisonné deux fois par Méléagant), les deux retours du chevalier (le tournoi de Noauz et le duel final). On pourrait trouver encore bien d'autres situations et motifs qui se répondent en écho.

On rejoint là une conception chère à l'esthétique du XIIe siècle : la civilisation médiévale oppose deux mondes, la nature et l'art. La nature est tout ce qui appartient au domaine de l'instinctif, du désordre, et l'art au domaine de l'assemblage, de l'agencement de ce que la nature propose. Or, comme on considère à l'époque que la beauté est la manifestation de ce qui est éternel dans les choses, Chrétien de Troyes s'applique à agencer les symboles, les allégories pour proposer à son public une lecture du monde, un déchiffrage.

3. *Héros mais pas trop*

L'épopée de Lancelot nous dit le douloureux parcours que doit faire le chevalier errant afin de trouver sa place dans le monde. En mettant à l'épreuve sa valeur, il se forge une identité, quitte à passer pour imparfait ou faible. Gardons à l'esprit que, si la littérature médiévale a pour but de distraire, elle a aussi celui d'instruire. Tous les romans de Chrétien de Troyes sont centrés sur l'amour et l'aventure, ils proposent un enseignement puisque, à travers ses exploits, le héros tente une véritable aventure intérieure, vers la connaissance de soi. Mais qui parle de valeurs chevaleresques a immédiatement à l'esprit un modèle de perfection amoureuse, de bravoure sans faille. À y regarder de plus près, aucun roman de Chrétien de Troyes ne propose ce stéréotype : Yvain manque à sa parole, Perceval ne saisit pas l'opportunité de parler et, littéralement, passe à côté du Graal, Lancelot a une liaison adultère et vit un amour absent. Est-ce là une image de la perfection ? un idéal à atteindre ? C'est là que la modernité de Chrétien de Troyes est certainement la plus triomphante : on lit la complexité de l'existence, les détours de l'esprit, les séductions trompeuses, les tentations égoïstes. On ne peut pas réellement parler de psychologie des personnages, mais il n'en reste pas moins que les héros de Chrétien de Troyes sont aux prises avec des choix existentiels.

Si la littérature est une façon de comprendre le monde, le roman médiéval est un moyen de comprendre quelle place tient l'individu au sein de la société. N'oublions pas à qui sont destinés les livres : à l'aristocratie, supposée incarner « l'Idéal ». Beau défi en perspective...

4. *Combats et tournois*

L'épreuve est toujours double, elle dégrade, déshonore le chevalier et, paradoxalement, cela permet au héros de mieux exalter sa bravoure, de mieux mesurer la force de son désir.

Ainsi, le premier combat contre le chevalier provocateur du gué est très structuré dans sa composition narrative : la préparation à l'affrontement, la prise d'armes, puis le premier assaut, un combat à forces égales. Le romancier fait ensuite une pause narrative pour donner la réaction des spectateurs et semer le doute dans l'esprit de Lancelot. Il peut alors reprendre l'avantage, poussé par sa fureur. Enfin le chevalier vaincu demande à être épargné. En combattant cet ennemi et en lui accordant la grâce, Lancelot affronte la lâcheté qui pourrait se loger en lui. De la même manière, la charrette symbolise le passage dans l'erreur, le déshonneur. Lancelot, en choisissant de monter sur la charrette d'infamie, assume une image dégradante de lui-même. Il appartient le temps d'un trajet au monde des lâches, des exclus de la société. On peut mettre en relation ce geste avec une forme de renoncement à un amour impossible : il sait d'avance qu'il ne pourra conquérir Guenièvre, il en est pourtant très amoureux. Tout est donc affaire d'obstacles dans le roman arthurien, ceux qui adviennent en dehors de notre volonté, et ceux que l'on met en place.

Les affrontements sont riches et variés tout au long du roman : joutes, combats, mais aussi passages à forcer, ponts à traverser, pièges à déjouer. Lancelot est le fils d'une fée. À ce titre, il sait reconnaître le vrai du faux, la vérité de l'illusion et utilise le merveilleux avec finesse. Il ressort vainqueur des lions qui ne sont en fait que des simulacres.

Chrétien de Troyes fait une belle part aux tournois dans *Le Chevalier de la Charrette*. Le très long passage qui décrit celui de Noauz permet à l'auteur de montrer combien il excelle dans le récit de prouesse. C'est au nom de la dame que le chevalier se bat avec ostentation. Il manifeste sa valeur selon qu'elle le désire ou non. Sa soumission est totale. Le roman rejoint ici la lyrique courtoise, les codes de la *fin'amor*. La *fin'amor* est une poétique qui célèbre la tendresse et la dévotion à la dame. L'amour est au centre de tout. Le chevalier se met à son service, cherche à se dépasser pour elle, et ainsi obtenir un gage d'amour.

2.

Je t'aime, moi non plus

1. *Lancelot et les femmes*

Chrétien de Troyes développe le motif de « l'amant martyr ». Lancelot est en adoration devant le lit où l'attend la reine : dévotion de l'amant qui se traduit par un réseau de connotations dans le tissu du texte. Il idolâtre Guenièvre au point de vouloir mourir pour elle. Cependant, c'est dans un tout autre registre que l'on se place dès lors qu'il s'agit du plaisir des sens. La scène de l'union des corps n'a rien de mystique, et c'est la volupté qui prévaut. Le passage est marqué par la sensualité et l'érotisme, les délices de la ferveur amoureuse, puis la douleur de quitter le lit de la dame. Le romancier a ainsi posé le mythe de la passion amoureuse, celle qui repose sur la perfection d'une nuit unique que l'amant sait ne jamais pouvoir retrouver et qu'il continue pourtant à chercher.

Les autres personnages féminins seront touchés par les sentiments de cet amant triste et meurtri. Lancelot rencontre à plusieurs reprises des demoiselles sur sa route. Elles sont autant d'épreuves à surmonter. La demoiselle du carrefour est un adjuvant, elle le guide vers le lieu où le ravisseur a emporté la reine. Mais au château, il doit lutter pour rester chaste devant l'empressement d'une demoiselle très hospitalière… Selon qu'elles le lui ordonnent ou pas, il laisse en vie ou décapite un chevalier. Lancelot est amoureux et inspire l'amour : ainsi par pur sentiment amoureux, sans espoir de retour, la femme du sénéchal de Méléagant permet au chevalier de rejoindre le tournoi. Lancelot est cependant un amant malheureux, jouet de Guenièvre.

2. *Les affres de l'amour*

Le chevalier dans l'œuvre de Chrétien de Troyes doit savoir qui il est, au sens propre comme au sens figuré. Ainsi Lancelot est-il désigné dans la première partie du roman par l'appellation presque insultante de « chevalier de la charrette » (la charrette étant le véhicule dans lequel on transportait les condamnés à mort, celui qui y montait s'exposait au rire et à l'opprobre du public). C'est la reine Guenièvre, sa dame, qui le nomme « Lancelot du Lac » devant le roi Bademagu, ce qui du même coup le réhabilite aux yeux de tout le monde. Perceval, dans *Le Conte du Graal*, est tour à tour appelé « beau fils » ou « vaslet » ; il devine son nom devant sa cousine et sait alors qu'il doit retenter l'expérience du Graal, « percer » le « val », traverser la montagne. Le personnage féminin dans l'œuvre de Chrétien de Troyes donne accès au savoir. Mais savoir et ressentir sont de nouvelles émotions qui sont peut-être plus douloureuses que les combats guerriers.

L'attente et l'espoir de retrouver la dame enferment le héros dans la tristesse, au point qu'il veut mourir. Il inflige des blessures à son corps, qui sont autant de signes de violence. La blessure amoureuse est déclinée au sens propre et au sens figuré. Le sang de Lancelot coule lorsqu'il écarte les barreaux de la fenêtre pour rejoindre Guenièvre. Lancelot est sur le point de tomber de la tour au passage du cortège de la reine, défaille en voyant le peigne et les cheveux de la belle et manque de tomber de cheval. Il se perd dans les rêveries jusqu'à laisser son cheval le conduire dans le gué

défendu. Enfin, croyant que la reine est morte, le chevalier éprouve le désir de mourir à son tour et tente de
se suicider (le nœud coulant autour de sa gorge relié à
l'arçon de la selle de son cheval). Le héros essaie de
s'infliger des blessures mortelles mais, ironie de l'auteur, il ne parvient jamais à mourir, comme si son destin était de souffrir éternellement.

3. *L'amour donne des ailes*

On peut ainsi penser que l'attitude de Guenièvre n'est
peut-être pas que pur caprice féminin. Bien sûr, on
reste surpris qu'elle lui reproche de ne pas être monté
assez vite sur la charrette, d'avoir réfléchi avant de le
faire ; mais en exigeant de l'amant un engagement
absolu, elle donne de la grandeur au personnage. Elle
repousse les limites de ce qu'il peut faire. Guenièvre
incarne l'inaccessible ; du haut de la tour de Bademagu,
ou dans les ordres glacials qu'elle lui donne au tournoi,
elle domine l'amant. Elle reste l'épouse d'Arthur. Elle
n'est ni reconnaissante des épreuves qu'a endurées
Lancelot pour elle, ni protectrice lorsqu'il souffre. Elle
est la fée amante d'une nuit, une merveille entrevue et
à jamais perdue. À partir de là, Chrétien de Troyes a su
inventer et nourrir le personnage masculin. Il trouve
une reconnaissance dans les actes qu'il accomplit au
nom de sa dame : la libération de la reine et le retour
des prisonniers au royaume de Logres. La belle motive
le mérite et l'espérance. C'est ainsi que les prouesses
inspirées par l'amour lors du tournoi font tourner vers
lui le regard de toutes les demoiselles de la cour du roi
Arthur : elles ne choisiront pas leur mari parmi les plus
valeureux combattants, car seul le chevalier aux armes
vermeilles est admirable. Le romancier fait de Lancelot

un personnage mythique qui est mû par le désir et qui provoque le désir. Il est à lui seul l'objet d'une quête.

4. *Un personnage devenu « mythe »*

Au début du XIIIe siècle apparaît le roman en prose. Inspiré par *Le Conte du Graal* de Chrétien de Troyes, une somme romanesque très ample est composée par Robert de Boron, à partir de la fin du XIIe siècle : *L'Estoire dou Graal*, *Merlin*, et *Perceval*. Cette œuvre mêle l'histoire du Graal et celle du monde arthurien, comme une autre saga communément appelée le *Lancelot-Graal*, constituée, elle aussi, de trois parties : *Lancelot en prose*, *Queste del saint Graal* et *Mort le roi Artu*.

Ces romans empruntent des données à Chrétien de Troyes, puis les récrivent, les développent. C'est le cas pour le motif de la quête du Graal, dont l'élu sera cette fois Galaad, fils de Lancelot et de la fille du Roi Pêcheur.

L'auteur du *Lancelot en prose* reprend également le thème de l'amant de la reine qui accomplit exploit sur exploit au nom d'une dame qu'il sait inaccessible. Enlevé par la fée Niniane et élevé par elle dans son domaine du lac, d'où son nom de Lancelot du Lac, le chevalier ne tarde pas à se faire remarquer pour ses prouesses, dont la première est la délivrance du château de « la Douloureuse Garde ». Le chevalier, au nom de l'amour qu'il voue à la reine, libère le château de ses enchantements, rebaptisé ensuite « Joyeuse Garde ». S'ensuivent de nombreuses quêtes auxquelles participent tous les prestigieux chevaliers de la Table Ronde ; mais Lancelot garde une place privilégiée, dans son rôle de libérateur, de défenseur des faibles, et dans son fidèle dévouement.

Groupement de textes thématique

L'errance du héros

« INCERTITUDE, DÉFIANCE, ERREUR », nous dit le *Dictionnaire historique de la langue française*, pour définir le mot « errance » en ancien français. Cette notion, dès le Moyen Âge, est relativement ambiguë. L'origine latine, « aller çà et là, marcher à l'aventure », a tout naturellement conduit au sens figuré de « faire fausse route, se tromper ». Pourtant, les interprétations sont multiples et la littérature a su saisir le large éventail des possibles. L'errance peut tout aussi bien être la peur d'être perdu, aller au hasard, le doute, comme la flânerie, la liberté d'aller sans obligation.

Le voyage est associé étymologiquement à ce thème. Celui qui erre a tout laissé pour partir à l'aventure. Ainsi voit-on se profiler le motif du chevalier errant, qui voyage sans cesse, parcourt le monde pour accomplir des exploits. Le personnage de roman se pose alors comme un marginal, un individu qui refuse les codes de la civilisation et préfère une vie nomade. Don Quichotte en est une figure exemplaire. Le rapport à l'espace, aux frontières est une donnée essentielle dans la mesure où elle fait éclater une représentation du monde. Le héros repousse les limites. Se dégagent alors deux aspects intéressants : le héros civilisateur qui parcourt le monde pour mettre à l'épreuve sa valeur ; le héros qui fuit, qui s'égare.

HOMÈRE (VIIIᵉ siècle av. J.-C.)

L'Odyssée

(Trad. d'Hélène Tronc, « Folioplus classiques », nᵒ 18)

Nombreux sont les textes depuis l'Antiquité qui exploitent ces formes, parfois en les entremêlant : le héros civilisateur et le héros qui fuit. Les personnages légendaires tels qu'Ulysse ou Hercule, dès lors qu'ils sortent du chemin tracé, sont confrontés au chaos. Les sirènes, ou Calypso, tentent bien de forcer Ulysse à rester, mais ce n'est qu'en reprenant la route qu'il parvient à se retrouver. C'est parce qu'il s'est perdu en mer qu'il doit surmonter toutes ses épreuves. Là où il s'arrête ne règnent aucune loi, aucune règle ; les repères sont effacés.

Dans cet extrait, Ulysse est emporté par la tempête. La déesse marine Ino le prend en pitié et lui offre un voile magique pour le sauver de la mort. La tempête redouble et disloque le radeau d'Ulysse. Il dérive deux jours et deux nuits sur une poutre puis atteint une côte où les récifs manquent de le déchiqueter et l'empêchent d'aborder.

Il parvint à la nage à l'embouchure d'un fleuve paisible, qui lui parut l'endroit le plus propice : il était abrité du vent et les roches étaient lisses. Il reconnut les eaux d'un fleuve et pria dans son cœur :

— Écoute-moi, roi de ces eaux, qui que tu sois. Je viens à toi après t'avoir invoqué maintes fois : je fuis la mer et les menaces de Poséidon. Même les dieux immortels respectent l'homme errant qui se présente comme je me présente à ton courant et à tes genoux, après avoir tant souffert. Aie pitié, mon roi ; je me glorifie d'être ton suppliant.

Ainsi parla-t-il et aussitôt le dieu suspendit son courant et retint ses vagues ; il pacifia son cours devant Ulysse et lui permit d'atteindre le rivage sain et sauf dans

l'embouchure du fleuve. Alors il laissa ses genoux fléchir et ses robustes mains retomber : la mer avait vaincu
son cœur. Tout son corps était enflé ; l'eau salée lui
ruisselait de la bouche et du nez ; il gisait sans souffle,
sans voix, sans force ; une terrible fatigue l'avait envahi.
Quand il eut retrouvé son souffle et qu'il eut rassemblé ses forces dans son cœur […] il sortit de l'eau, se
coucha dans les roseaux et embrassa la terre qui produit
le grain ; puis il gémit et dit à son cœur magnanime :
— Malheureux que je suis ! Que vais-je devenir ? Quel
sera mon sort ? Si je passe une nuit inquiète à veiller
près du fleuve, je crains que la gelée néfaste et la rosée
humide ne profitent ensemble de ma faiblesse pour
achever de me faire rendre l'âme.

CHRÉTIEN DE TROYES (v. 1130-v. 1190)

Le Chevalier au lion (vers 1170)

(Trad. de Jean-Pierre Foucher,
« Folioplus classiques », n° 2)

*Le chevalier arthurien est aux prises avec un jeu de piste.
L'espace romanesque est divisé en deux : le royaume « réel »
d'Arthur, et l'Autre Monde, le monde de la féerie. Mais ils
peuvent s'interpénétrer, laissant le héros divaguer au gré de
ses aventures. La forêt est le lieu par excellence de l'errance ;
elle est l'espace de tous les possibles. Elle représente la nature
sans limites, sans visibilité, l'espace de l'errance aveugle. On
y perd ses repères et on y fait des rencontres dangereuses et
dérangeantes. C'est dans la forêt que se cachent les monstres
terribles, associés à l'obscurité, et peut-être aussi à la part
d'ombre que chacun porte en soi. La littérature médiévale
considère la forêt comme un lieu hanté par des présences sur-
naturelles, protectrices ou maléfiques ; elle est en opposition
avec la cité, espace où l'homme détient le pouvoir, où il règne
en maître. Elle est néanmoins un lieu de passage d'où le héros
ressort autre qu'il était entré.*

Dans Le Chevalier au lion, *le héros, Yvain, n'a pas res-*

pecté la parole donnée à sa dame, partir à l'aventure mais revenir auprès d'elle au bout d'une année. Il vient d'apprendre qu'il n'est plus digne de son amour. Incapable de surmonter sa faute, il se retire dans la forêt et sombre dans la folie.

Messire Yvain est accablé. Tout ce qu'il voit est un tourment. Tout ce qu'il entend l'incommode. Il voudrait être au loin, s'enfuir en une terre si sauvage qu'on ne sache plus le quérir ; où n'y ait ni homme ni femme qui ne connaisse rien de lui non plus que s'il était au profond d'un abîme. Il ne hait rien tant que lui-même. Auprès de qui se conforter ? N'est-il pas auteur de sa perte ?

Messire Yvain s'éloigna sans prononcer une parole tant il avait peur de foleyer devant les barons assemblés. Ceux-ci le laissèrent aller seul sans prendre à lui nulle attention. Ce n'était point assurément ni leurs propos ni leurs affaires qui pouvaient retenir Yvain. Il fut bientôt loin des pavillons. Alors s'empara de lui le délire. Il lacéra ses vêtements puis s'enfuit par champs et arées. Des compagnons qui le cherchaient dessous les tentes nul ne le trouva, non plus par les haies et les vergers.

Yvain, courant comme insensé, trouva près d'un parc un garçon tenant un arc et des flèches barbelées. Ayant encore un peu de sens Yvain lui arracha ses armes. Puis il perdit tout souvenir de son aventure. Se mit à la guette des bêtes au bois, les tua, mangea venaison toute crue. Tant il rôda de tous côtés comme rôde un forcené qu'il trouva par là une maison petite et basse. C'était la demeure d'un ermite fort besogneux, pour le moment, à essarter. À voir venir un homme nu, bien s'aperçut qu'il n'était pas homme sensé et courut au plus tôt se cacher dedans sa maison. Mais comme il était charitable il posa du pain et de l'eau sur le rebord de la fenêtre.

Yvain l'insensé s'approcha, prit le pain et y mordit car il se sentait grand-faim. Jamais il n'en avait mangé de si mauvais goût et si dur. La mouture en était sûrement de bas prix car ce pain avait été pétri d'orge avec de la paille, moisi et sec comme une écorce. Yvain était tenaillé de faim si grande que le pain lui sembla tendre comme bouillie car la faim est la meilleure sauce, bien préparée et bien confite pour tous mangers. Yvain dévora le pain entier et but toute l'eau fraîche du pot.

Ayant ainsi mangé et bu, Yvain s'enfonça de nouveau dans le bois, cherchant les cerfs et les biches. En le voyant qui s'éloignait, l'ermite fit prière à Dieu de protéger ce pauvre homme, mais il lui demanda aussi qu'il ne revienne plus errer de ce côté de la forêt. Qui donc empêcherait un insensé de revenir volontiers en tel lieu où il a trouvé âme charitable ? Tout le temps qu'il fut en sa folie, Yvain s'en revint donc par là chaque jour, apportant devant l'huis de l'ermite le don de quelque bête sauvage. Tout son temps passait à chasser. L'ermite dépouillait et faisait cuire. Chaque jour le chasseur insensé trouvait le pain et l'eau dans la boîte disposée près de la fenêtre. Avait donc le boire et le manger, eau fraîche puisée en fontaine et venaison sans sel ni poivre. L'ermite vendait les peaux, achetait le pain d'orge ou d'avoine dont le feu avait à pleineté.

BÉROUL (XIIᵉ siècle)
Tristan et Yseut

(Trad. de l'ancien français par Daniel Poirion, « La Bibliothèque Gallimard », nᵒ 63)

Tristan et Yseut aux Blanches Mains ont bu par erreur un philtre d'amour. Tristan ramenait Yseut pour qu'elle devienne l'épouse du roi Marc. Accusé de trahison par ses pairs, Tristan est contraint de quitter le royaume.

« Fais partir Tristan de ta cour. Attends le terme d'un an. Alors, rassuré sur la loyauté d'Yseut, fais revenir

Tristan près de toi. Voilà notre conseil en toute bonne foi. » Le roi répond : « Quoi qu'on en puisse dire, je m'en tiendrai à vos conseils. » Les barons reviennent trouver Tristan et lui font part de la décision du roi. Quand Tristan apprend que l'on ne lui accorde aucun délai, et que le roi veut qu'il s'éloigne d'elle, il prend congé de la reine. Ils échangent un regard plein de tendresse. La reine rougit ; elle avait honte à cause des gens qui les entouraient. Tristan s'en va, j'imagine la scène. Dieu ! Combien de cœurs ont été attristés ce jour-là pour lui ! Le roi demande où il s'en ira ; il lui donnera tout ce qu'il voudra ; il met à sa disposition or, argent, les fourrures les plus somptueuses, sans compter. Tristan répond : « Roi de Cornouailles, je n'accepterai pas un sou ! Je pars le plus vite possible, avec le peu que j'ai, chez le riche roi à qui l'on fait la guerre. »
Tristan a droit à l'importante escorte des barons et du roi Marc. Il se dirige vers la mer. Yseut le suit des yeux. Aussi longtemps qu'elle peut le voir, elle reste immobile sur place. Tristan est parti, ceux qui l'ont escorté un instant sont revenus. [...]

Après le départ de Tristan, un cortège conduit la reine Yseut à l'église. S'ensuivent de grandes réjouissances au palais royal. Le roi prodigue des largesses et la reine Yseut est célébrée avec faste.

Et maintenant écoutez ce que Tristan va faire.
Tristan s'en va, s'étant acquitté de sa dette. Il quitte le grand chemin et emprunte une sente. Il a tant voyagé, sur route et par sentiers, qu'il est arrivé clandestinement au logis du forestier. Orri le fait entrer aussitôt dans le beau souterrain. Il lui procure tout ce dont il a besoin. Orri était remarquablement généreux. Il prenait au piège des sangliers, des laies avec leurs petits, de grands cerfs et des biches, des daims et des chevreuils. Il n'était pas avare car il en donnait beaucoup à ses serviteurs. Il vécut là, avec Tristan caché dans le souterrain. Tristan avait des nouvelles de son amie par Périnis, le noble écuyer.

William SHAKESPEARE (1564-1616)
Roméo et Juliette (1595)

(Trad. de François-Victor Hugo,
« Folio classique », nº 3515)

Roméo doit s'exiler. Il vient de venger la mort de son ami Mercutio, en tuant son meurtrier, Tybalt. C'était le cousin de Juliette… Laurence, un religieux qui recueille les confidences de Roméo, le somme de réagir.

LAURENCE : Retiens ta main désespérée ! Es-tu un homme ? Ta forme crie que tu en es un ; mais tes larmes sont d'une femme, et ta sauvage action dénonce la furie déraisonnable d'une bête brute. Ô femme disgracieuse qu'on croirait un homme, bête monstrueuse qu'on croirait homme et femme, tu m'as étonné !… Par notre saint ordre, je croyais ton caractère mieux trempé. Tu as tué Tybalt et tu veux te tuer ! tu veux tuer la femme qui ne respire que par toi, en assouvissant sur toi-même une haine damnée ! Pourquoi insultes-tu à la vie, au ciel et à la terre ? La vie, le ciel et la terre se sont tous trois réunis pour ton existence ; et tu veux renoncer à tes amis ! Fi ! Fi ! Tu fais honte à ta beauté, à ton amour, à ton esprit. Usurier, tu regorges de tous les biens, et tu ne les emploies pas à ce légitime usage qui ferait honneur à ta beauté, à ton amour, à ton esprit. Ta noble beauté n'est qu'une image de cire, dépourvue d'énergie virile ; ton amour, ce tendre engagement, n'est qu'un misérable parjure, qui tue celle que tu avais fait vœu de chérir ; ton esprit, cet ornement de la beauté et de l'amour, n'en est chez toi que le guide égaré : comme la poudre dans la calebasse d'un soldat maladroit, il prend feu par ta propre ignorance et te mutile au lieu de te défendre. Allons, relève-toi, l'homme ! Elle vit, ta Juliette, cette chère Juliette pour qui tu mourais tout à l'heure : n'es-tu pas heureux ? Tybalt voulait t'égorger, mais tu as tué

Tybalt : n'es-tu pas heureux encore ? La loi qui te
menaçait de la mort devient ton amie et change la sen-
tence en exil : n'es-tu pas heureux toujours ? Les béné-
dictions pleuvent sur ta tête, la fortune te courtise sous
ses plus beaux atours ; mais toi, maussade comme
une fille mal élevée, tu fais la moue au bonheur et à
l'amour. Prends garde, prends garde, c'est ainsi qu'on
meurt misérable. Allons, rends-toi près de ta bien-aimée,
comme il a été convenu : monte dans sa chambre et va
la consoler ; mais surtout quitte-la avant la fin de la
nuit, car alors tu ne pourrais plus quitter Mantoue ; et
c'est là que tu dois vivre jusqu'à ce que nous trouvions
le moment favorable pour proclamer ton mariage,
réconcilier vos familles, obtenir le pardon du prince et
te rappeler ici. Tu reviendras alors plus heureux un
million de fois que tu n'auras été désolé au départ...

Jean ECHENOZ (né en 1947)

Je m'en vais (1999)

(Éditions de Minuit)

*L'errance du héros est un motif récurrent dans la seconde
moitié du XXᵉ siècle car le cadre est souvent celui d'un monde
moderne froid, quasi inexorablement absurde, celui d'une fin
de siècle qui laisse les personnages dans un état d'abandon.
Et par là même laisse le lecteur errant lui aussi... Un peu à la
manière d'un chevalier du Moyen Âge, le héros au XXᵉ siècle se
doit de réinventer le monde, de découvrir une nouvelle force
de vivre, de combler le manque. Jean Echenoz donne peu
d'épaisseur psychologique aux personnages, mais pour autant
ils gagnent en complexité dans leurs allées et venues, vaines,
leurs aventures. Manifestement, le cadre social impose au personnage de roman une conduite donnée d'avance. L'auteur
se joue de sa destinée, de sa perdition.*

*« Mais ne serait-il pas temps que Ferrer se fixe un peu ? »,
dit le narrateur de* Je m'en vais. *« Va-t-il éternellement col-
lectionner les aventures dérisoires dont il connaît d'avance*

l'issue, dont il ne s'imagine même plus comme avant que cette fois-ci sera la bonne ?» La mise à distance nous amuse et rend le dérisoire de l'errance, le destin, acceptables. Les individus décrits sont absorbés par des rencontres destinées à combler un vide existentiel. Comme dans les récits médiévaux, c'est le temps des aventures qui organise l'écriture. On peut penser que Chrétien de Troyes, lui non plus, ne fournit pas les clés pour comprendre ce qui pousse le chevalier à fuir vers une quête. L'écrivain interroge d'un héros à l'autre le mystère qui transmue en joie la douleur acceptée et l'épreuve dominée.

Nous vous proposons ici l'incipit du roman Je m'en vais.

Je m'en vais, dit Ferrer, je te quitte. Je laisse tout mais je pars. Et comme les yeux de Suzanne, s'égarant vers le sol, s'arrêtaient sans raison sur une prise électrique, Félix Ferrer abandonna ses clefs sur la console de l'entrée. Puis il boutonna son manteau avant de sortir en refermant doucement la porte du pavillon.

Dehors, sans un regard pour la voiture de Suzanne dont les vitres embuées se taisaient sous les réverbères, Ferrer se remit en marche vers la station Corentin-Celton située à six cents mètres. Vers neuf heures, un premier dimanche soir de janvier, la rame de métro se trouvait à peu près déserte. Ne l'occupaient qu'une dizaine d'hommes solitaires comme Ferrer semblait l'être devenu depuis vingt-cinq minutes. En temps normal il se fût réjoui d'y trouver une cellule vide de banquettes face à face, comme un petit compartiment pour lui seul, ce qui était dans le métro sa figure préférée. Ce soir il n'y pensait même pas, distrait mais moins préoccupé que prévu par la scène qui venait de se jouer avec Suzanne, femme d'un caractère difficile. Ayant envisagé une réaction plus vive, cris entremêlés de menaces et d'insultes graves, il était soulagé mais contrarié par ce soulagement même.

Il avait posé près de lui sa mallette contenant surtout des objets de toilette et du linge de rechange et, d'abord, il avait regardé devant lui, déchiffrant machinalement des annonces publicitaires de revêtement de sol, de messageries de couples et de revues d'immobilier. Plus tard, entre Vaugirard et Volontaires, Ferrer ouvrit sa mallette pour en extraire un catalogue de vente aux enchères d'œuvres d'art traditionnel persan qu'il feuilleta jusqu'à la station Madeleine où il descendit.

Aux environs de l'église de la Madeleine, des guirlandes électriques supportaient des étoiles éteintes au-dessus des rues plus vides encore que le métro. Les vitrines décorées des boutiques de luxe rappelaient aux passants absents qu'on survivrait aux réjouissances de fin d'année. Seul dans son manteau, Ferrer contourna l'église vers un numéro pair de la rue de l'Arcade.

Arto PAASILINNA (né en 1942)

Le Lièvre de Vatanen (1975)

(Trad. d'Anne Colin du Terrail, Denoël,
repris dans « La Bibliothèque Gallimard », n° 138)

Marginaux, certes. Les personnages qui fuient le quotidien, la vie « de tous les jours », sont en dehors des limites et cherchent ailleurs ce qu'ils ne trouvent pas ici. Le décalage qui se crée, comme dans l'œuvre du Finlandais Paasilinna, entre ce que l'on fuit et une renaissance possible par des rencontres, au plus près de la nature, met en relief des questionnements existentiels sur le bonheur de l'homme. Le personnage est comme un chevalier qui s'arrête puis repart, à la recherche d'une existence qu'il désire remplir. La multiplicité des déplacements, des trajets, des périples, souligne la discontinuité du personnage principal. Il se perd en aventures. Mais pour mieux se trouver.

Il faut noter que les noms de lieux précis parsèment le roman moderne et montrent l'éclatement, la dispersion du héros qui ne parvient pas à se fixer. Les interventions du narrateur livrent un regard critique sur l'espace urbain, sur la solitude des grandes villes. Désillusion et en même temps dérision. Il faut bouger, pour éviter la solitude et l'ennui. La fuite

dans un espace naturel, où les relations sociales sont telle-
ment rares qu'elles revêtent un caractère essentiel, devient la
condition nécessaire à l'épanouissement.

Le lecteur est alors régulièrement convoqué pour contreba-
lancer la nostalgie qui se dégage du roman grâce à un regard
ironique sur les agissements souvent dénués de sens des per-
sonnages, et pour révéler l'aspect dérisoire des dysfonctionne-
ments du monde moderne.

Dans ce roman, Vatanen, un journaliste finlandais, s'évade
de sa vie avec un lièvre qu'il manque d'écraser en voiture. Il
abandonne tout. Accompagné de l'animal, il traverse le pays.
Son parcours est jalonné d'aventures totalement loufoques
mais existentielles.

Tôt le matin, Vatanen fut réveillé par le chant des
oiseaux dans la bonne odeur de foin d'une grange. Le
lièvre reposait au creux de son bras ; il semblait suivre
le vol des hirondelles qui se glissaient sous le faîte
— elles construisaient sans doute encore leur nid,
ou peut-être avaient-elles déjà des petits, vu l'ardeur
qu'elles mettaient à entrer et sortir de la grange.
Le soleil brillait à travers les rondins disjoints, l'herbe
de l'année passée était tiède. Vatanen resta près d'une
heure allongé dans le foin, songeur, avant de se secouer
et de sortir, le lièvre dans les bras.
Derrière l'ancien pré en fleurs murmurait un petit
ruisseau. Vatanen posa le lièvre sur la rive, se désha-
billa et se baigna dans l'eau fraîche. De petits poissons
remontaient le courant en banc serré ; ils s'effrayaient
du moindre mouvement, mais oubliaient aussitôt leur
peur.
Vatanen pensa à sa femme, à Helsinki. Il se sentit mal.
Vatanen n'aimait pas sa femme. Elle était, en un sens,
méchante ; elle avait été méchante, égoïste plutôt, tout
le temps de leur mariage. Sa femme avait l'habitude
d'acheter d'horribles vêtements, laids et peu pratiques,
et de ne les porter que peu de temps, car à la longue
ils ne lui plaisaient pas non plus. Sa femme aurait bien
aussi échangé Vatanen si elle avait pu le faire aussi facilement qu'elle changeait de vêtements.

Au début de leur mariage, sa femme s'était délibéré-
ment attelée à leur constituer un foyer commun, un
nid. Leur appartement était devenu un assemblage
bizarre de trucs d'ameublement de magazines féminins, superficiel et sans goût ; un radicalisme ostensi-
ble régnait dans la maison avec de grandes affiches et
d'inconfortables sièges en éléments. Il était difficile de
vivre dans ces pièces sans se cogner ; le cadre était totalement hétéroclite. Ce foyer reflétait bien le mariage
de Vatanen.

Un printemps, la femme de Vatanen s'était trouvée
enceinte mais s'était rapidement fait avorter. Un lit
d'enfant aurait rompu l'harmonie du décor, avait-elle
dit, mais Vatanen avait appris après l'avortement une
raison plus vraisemblable : l'embryon n'était pas de
lui.

« Tu ne vas pas être jaloux d'un embryon mort, espèce
d'idiot », avait déclaré sa femme quand Vatanen avait
abordé le sujet.

Vatanen installa le levraut au bord du ruisseau pour
qu'il puisse boire. Le petit museau fendu plongea dans
l'eau claire ; le lièvre semblait terriblement assoiffé
pour un aussi petit corps. Après avoir bu, il se mit à
brouter énergiquement le feuillage de la rive. Sa patte
arrière le faisait encore souffrir.

Il fallait sans doute retourner à Helsinki, se dit Vatanen. Que pouvait-on bien penser au bureau de sa
disparition ?

Groupement de textes stylistique

L'exagération

L'ÉCRIVAIN DISPOSE de divers outils pour rendre compte de l'effet de sens qu'il cherche à produire. On parle de rhétorique quand il s'agit d'utiliser les agencements de la langue pour formuler une pensée précise. Les figures de style font partie des ressources du langage pour y parvenir. Utiles à l'artisan des mots, elles sont aussi sa touche personnelle, ce qui le rattache au plus près de ses écrits.

On distingue divers procédés d'expression qui visent à produire un effet :

— Les figures fondées sur une ressemblance : comparaison, métaphore, personnification.

— Les figures fondées sur une opposition : antithèse, oxymore, antiphrase.

— Les figures fondées sur une association de sens : métonymie, périphrase.

— Les figures fondées sur une amplification : hyperbole, gradation, répétition, anaphore.

— Les figures fondées sur une atténuation de sens : litote, euphémisme.

Les grandes épopées antiques puis par la suite la chanson de geste au Moyen Âge emploient, voire en abusent, des figures de style visant à l'exagération. Les exploits des héros, des guerriers, des chevaliers, sont racontés sur le mode épique afin de captiver un auditoire qui a soif d'aventures extraordinaires. La transmission orale est alors plus répandue que l'écrit. Peu de gens savent lire et écrire, excepté les membres du clergé. Les histoires sont racontées à haute voix aux seigneurs. Les prouesses guerrières, les récits de combats se devaient de mettre en avant les valeurs, les exploits des héros historiques tels que Roland, Charlemagne. Ces histoires étaient composées sous la forme de longs poèmes lus ou chantés, généralement accompagnés par des musiciens. Les jongleurs et les ménestrels donnaient vie aux vers devant un public friand de réjouissances. Ils usent des artifices du langage pour explorer le merveilleux, pour donner une réalité à la féerie.

Les figures d'amplification

L'HYPERBOLE : elle consiste à exagérer la réalité de façon à frapper l'imagination. Elle grossit les choses, les sentiments avec excès. Elle utilise des termes d'amplification. Il peut s'agir d'outils grammaticaux : superlatifs (le plus, très), adjectifs ou adverbes d'intensité (tel, si, tant), ou d'outils lexicaux : mots dont le sens exprime la démesure, expressions toutes faites. L'hyperbole permet d'exprimer des sentiments extrêmes, de relater une action extraordinaire. Elle provoque l'émotion, l'admiration, ou bien le dégoût, et même l'effroi.

LA GRADATION : elle consiste à faire progresser une idée par une énumération de termes de plus en plus forts (gradation ascendante) ou de moins en moins forts (gradation descendante). L'énumération est ordonnée par l'intensité recherchée. Elle peut aussi simplement renforcer un aspect de l'élément décrit.

L'ACCUMULATION : elle consiste en une longue série de termes ou de groupes de mots de même nature ou de même fonction. Rabelais est un expert en accumulation ! Il peut aller jusqu'à saturer son propos lorsqu'il décrit les agissements de l'un de ses personnages.

LES RÉPÉTITIONS : figures plus simples, les répétitions de mots dans une même phrase, ou dans un même paragraphe, permettent de mettre en valeur un objet ou une idée.

L'ANAPHORE : elle est un type particulier de répétition. Elle consiste à répéter le ou les mêmes mots en tête de phrases, de propositions ou de vers. Elle permet une mise en relief.

Toutes ces figures d'exagération peuvent donner un caractère grandiose au texte. Elles donnent de la force à une argumentation ou à une description. Enfin, elles peuvent avoir un effet comique.

HOMÈRE
L'Iliade
(Trad. de Robert Flacelière,
« Bibliothèque de la Pléiade », n° 115)

Homère fait le récit de la guerre de Troie, entre les Troyens et les Grecs, vers 1200 avant J.-C. Les Grecs font le siège de la ville de Troie. Dans le combat qui l'a opposé au Troyen Hector, Patrocle a trouvé la mort. Achille, son ami de toujours, décide de le venger.

En disant ces mots, il stimule Athéna, déjà pleine d'ardeur. Sous l'aspect d'un faucon qui pousse de grands cris, les ailes déployées, du ciel elle s'élance et traverse l'éther. Tandis que, dans leur camp, les Argiens s'arment vite, elle vient près d'Achille et verse en sa poitrine à la fois le nectar et la douce ambroisie, de la cruelle faim préservant ses genoux. Puis elle disparaît :

du Tout-Puissant, son père, elle va regagner le palais bien construit.

Hors des sveltes vaisseaux les Argiens se répandent. Comme, en flocons serrés, la froide neige vole, — cette neige de Zeus que chasse devant lui Borée, issu du ciel : aussi serrés alors, au sortir des vaisseaux, sont les casques luisants, les boucliers bombés, les cuirasses dont les jointures tiennent bon et les piques de frêne. Leur éclat monte au ciel, et la terre à l'entour rit des éclairs du bronze. Sous les pas des guerriers un grondement s'élève.

Lors le divin Achille au milieu d'eux s'équipe. Ses dents grimacent, ses yeux brillent comme des flammes. Une peine implacable a pénétré son cœur. Impatient d'aller combattre les Troyens, il revêt les présents du dieu, ceux qu'Héphaestos a pour lui façonnés. À ses jambes d'abord il met les belles guêtres, où viennent s'ajuster les plaquettes d'argent qui couvrent ses chevilles. Puis autour de son torse il passe la cuirasse. Sur son épaule il jette ensuite son épée en bronze, à clous d'argent, ainsi que son solide et vaste bouclier, dont l'éclat resplendit dans le lointain, pareil à celui de la lune. Comme des matelots aperçoivent parfois, depuis la haute mer, la lueur d'une flamme, — elle brûle dans une étable solitaire en haut d'une montagne, mais eux, contre leur gré, les rafales du vent les jettent loin des leurs, sur la mer poissonneuse : ainsi jusqu'à l'éther s'élève la lueur du bouclier d'Achille, de son beau bouclier, merveilleusement fait. À terre, il prend enfin le casque résistant, et le met sur sa tête. Et le casque à crinière ainsi qu'un astre brille : on voit autour de lui voltiger les crins d'or qu'Héphaestos a fait pendre, en masse, du cimier.

Achille, divin preux, de ses armes couvert, les éprouve sur lui : s'ajustent-elles bien ? ses membres glorieux peuvent-ils jouer ? Le pasteur d'hommes sent que ses armes le portent : il croit avoir des ailes.

Il tire de l'étui la lance paternelle : c'est la pesante et longue et vigoureuse lance que nul ne peut brandir parmi les Achéens, Achille seul le peut. Chiron la fit jadis avec le bois d'un frêne en haut du Pélion, et l'offrit à son père, cette arme qui devait tuer tant de héros ! Puis ses chevaux sont attelés par Alcimos et par Automédon, qui près de lui s'affairent. Ils passent autour d'eux les splendides courroies, puis ils placent le mors aux mâchoires des bêtes et sur le char robuste ils disposent les rênes, qu'ils tirent en arrière. Automédon saisit le fouet éclatant, juste fait à sa main, puis sur le char s'élance. Alors derrière lui monte Achille, casqué, non moins resplendissant qu'un astre sous ses armes, et, d'une voix terrible, aux chevaux de son père il jette cet appel :

ACHILLE : Xanthos et Balios, nobles fils de Podarge, songez à faire mieux et veillez cette fois à ramener intact dans les rangs danaens l'homme qui vous conduit, au lieu de le laisser, comme Patrocle, mort sur le champ de bataille.

Lors, de dessous le joug, voici que lui répond Xanthos aux pieds agiles. Le coursier brusquement vient de baisser la tête, et toute sa crinière, échappant au collier, des deux côtés du joug retombe jusqu'au sol. Par le vouloir d'Héra, la déesse aux bras blancs, le voilà tout à coup doué de la parole :

XANTHOS : Oui, cette fois encore, Achille aux bras puissants, nous te ramènerons. Mais pour toi maintenant le jour fatal est proche. Ce n'est point notre faute ; c'est celle d'un dieu fort et du brutal destin. Et ce n'est pas non plus par la faute de notre indolence ou lenteur, que les Troyens ont pris à Patrocle ses armes : c'est le meilleur des dieux, fils de Létô, déesse à l'ample chevelure, qui lui-même l'a fait périr au premier rang, comblant de gloire Hector. Nous pourrions à la course accompagner Zéphyr, celui de tous les vents qu'on dit le plus rapide, mais toi, ta destinée est de mourir, victime et d'un homme et d'un dieu.

Il dit. Les Érinyes lui retirent la voix. Achille aux pieds légers lui répond, très ému :

ACHILLE : Ah ! Xanthos, c'est donc toi qui m'annonces

la mort ? Cela ne te sied pas. Moi-même je le sais sans que tu me le dises : mon sort est de périr ici loin de mon père, loin de ma mère aussi. Pourtant je ne vais pas cesser la lutte avant d'avoir rassasié de guerre les Troyens !

Il dit, puis, à grands cris, il pousse au premier rang ses robustes chevaux.

CHRÉTIEN DE TROYES
Perceval ou le Conte du Graal (vers 1180)

(Trad. de Daniel Poirion,
« La Bibliothèque Gallimard », n° 125)

Perceval est reçu avec faste dans le château du Roi Pêcheur. Il assiste, muet, à un étrange spectacle.

Tandis qu'ils parlaient de choses et d'autres, un jeune homme sortit d'une chambre, tenant une lance blanche empoignée par le milieu ; il passa entre le feu et ceux qui étaient assis sur le lit, et toute l'assistance voyait la lance blanche et le métal blanc, et une goutte de sang qui, venue de la pointe du fer de lance, coulait jusqu'à la main du jeune homme, toute vermeille. Le jeune homme vit donc cette merveille le soir de son arrivée en cet endroit, et il s'est retenu de demander l'explication de cette aventure parce qu'il se souvenait de l'avertissement du maître qui l'avait fait chevalier, et qui lui avait enseigné et appris à se garder de trop parler. Il craignait, en posant cette question, de se conduire grossièrement. Et voilà pourquoi il n'a pas posé de question.

Mais alors deux autres jeunes gens arrivèrent, tenant dans leurs mains des chandeliers en or fin décorés d'émaux. Ces jeunes gens étaient très beaux, avec les chandeliers dont ils étaient porteurs. Sur chaque chandelier brillaient au moins dix chandelles. Puis venait un Graal tenu à deux mains par une demoiselle qui s'avançait avec les jeunes gens, belle, élégante et parée avec goût. Quand elle fut entrée dans la salle en tenant le Graal, une si grande clarté se répandit que les chandelles perdirent leur clarté comme font les étoiles quand le soleil se lève ou la lune. Après cette demoiselle en arriva une autre tenant un tailloir en argent. Le Graal, porté en tête du cortège, était d'or pur et fin ; on y voyait des pierres précieuses de plusieurs sortes, les plus riches et les plus chères que l'on puisse trouver en mer ou dans la terre ; car les pierres du Graal surpassaient toutes les autres, sans aucun doute. Comme pour la lance, on fit défiler ces objets devant le chevalier avant d'entrer dans une autre chambre. Et le jeune homme les vit passer sans oser demander à qui l'on destinait le service du Graal, car toujours il gardait en mémoire les paroles de son noble et sage maître. Je crains que ce ne soit dommage, car j'ai souvent entendu dire qu'on peut aussi bien trop se taire que trop parler.

François RABELAIS (vers 1494-1553)

Gargantua (1534)

(Modernisation du texte par Emmanuel Naya, « Folioplus classiques », n° 21)

Gargantua, paru en 1534, raconte l'enfance, les années d'apprentissage et les exploits guerriers du géant Gargantua. Le roman est d'une grande richesse lexicale. Le registre de langue prête souvent à sourire…

Gargantua depuis les trois jusqu'à cinq ans fut nourri et institué en toute discipline convenante par le commandement de son père, et celui temps passa comme les petits enfants du pays, c'est à savoir à boire, manger, et dormir : à manger, dormir, et boire : à dormir, boire, et manger.

Toujours se vautrait par les fanges, se mascarait le nez,

se chauffourait le visage. Éculait ses souliers, baillait souvent aux mouches, et courait volontiers après les papillons, desquels son père tenait l'empire. Il pissait sur ses souliers, il chiait en sa chemise, il se mouchait à ses manches, il morvait dedans sa soupe. Et patrouillait par tout lieu, et buvait en sa pantoufle, et se frottait ordinairement le ventre d'un panier. Ses dents aiguisait d'un sabot, ses mains lavait de potage, se peignait d'un gobelet. S'asseyait entre deux selles le cul à terre. Se couvrait d'un sac mouillé. Buvait en mangeant sa soupe. Mangeait sa fouace sans pain. Mordait en riant. Riait en mordant. Souvent crachait au bassin, pétait de graisse, pissait contre le soleil. Se cachait en l'eau pour la pluie. Battait à froid. Songeait creux. Faisait le sucré. Écorchait le renard. Disait le patenôtre du singe. Retournait à ses moutons. Tournait les truies au foin. Battait le chien devant le lion. Mettait la charrette devant les bœufs. Se grattait où ne lui démangeait point. Tirait les vers du nez. Trop embrassait, et peu étreignait. Mangeait son pain blanc le premier. Ferrait les cigales. Se chatouillait pour se faire rire. Ruait très bien en cuisine. Faisait gerbe de feurre aux dieux. Faisait chanter *magnificat* à matines, et le trouvait bien à propos. Mangeait choux et chiait pourrée. Connaissait mouches en lait. Faisait perdre les pieds aux mouches. Ratissait le papier. Chaffourait le parchemin. Gagnait au pied. Tirait au chevrotin. Comptait sans son hôte. Battait les buissons, sans prendre les oisillons. Croyait que nues fussent pailles d'airain, et que vessies fussent lanternes. Tirait d'un sac deux moutures. Faisait de l'âne pour avoir du bren. De son poing faisait un maillet. Prenait les grues du premier saut. Voulait que maille à maille on fît les haubergeons. De cheval donné toujours regardait en la gueule. Sautait du coq à l'âne. Mettait entre deux vertes une mûre. Faisait de la terre le fossé. Gardait la lune des loups. Si les nues tombaient espérait prendre les alouettes. Faisait de nécessité vertu. Faisait de tel pain soupe. Se souciait aussi peu des rasés comme des tondus. Tous les matins écorchait le renard. Les petits chiens de son père mangeaient en son écuelle. Lui de même mangeait avec eux : il leur mordait les oreilles. Ils lui graphinaient le nez. Il leur soufflait au cul. Ils lui léchaient les badigoinces.

Émile ZOLA (1840-1902)
Le Ventre de Paris (1873)
(« Folio classique », n° 1107)

Le roman se présente comme une vaste nature morte. Zola peint une fresque sur les Halles, et brosse un tableau naturaliste de la bourgeoisie. Quenu le charcutier a un frère qui a été déporté en Guyane suite aux événements du 4 décembre 1851. Florent s'est évadé, il est parvenu à retourner en France. Il retrouve son frère. Ni l'un ni l'autre n'ont changé. Lisa, la femme de Quenu, voit son beau-frère comme une menace, un danger pour son confort bourgeois. À travers les descriptions des Halles, on découvre l'effervescence du commerce, des idées, et des relations humaines.

La Sarriette, une marchande sensuelle...

La Sarriette était adorable, au milieu de ses fruits, avec son débraillé de belle fille. Ses cheveux frisottants lui tombaient sur le front, comme des pampres. Ses bras nus, son cou nu, tout ce qu'elle montrait de nu et de rose, avait une fraîcheur de pêche et de cerise. Elle s'était pendu par gaminerie des guignes aux oreilles, des guignes noires qui sautaient sur ses joues, quand elle se penchait, toute sonore de rires. Ce qui l'amusait si fort, c'était qu'elle mangeait des groseilles, et qu'elle les mangeait à s'en barbouiller la bouche, jusqu'au menton et jusqu'au nez ; elle avait la bouche rouge, une bouche maquillée, fraîche du jus des groseilles, comme peinte et parfumée de quelque fard du sérail. Une odeur de prune montait de ses jupes. Son fichu mal noué sentait la fraise.

Et, dans l'étroite boutique, autour d'elle, les fruits
s'entassaient. Derrière, le long des étagères, il y avait
des files de melons, des cantaloups couturés de ver-
rues, des maraîchers aux guipures grises, des culs-de-
singe avec leurs bosses nues. À l'étalage, les beaux
fruits, délicatement parés dans des paniers, avaient des
rondeurs de joues qui se cachent, des faces de belles
enfants entrevues à demi sous un rideau de feuilles ;
les pêches surtout, les Montreuil rougissantes, de peau
fine et claire comme des filles du Nord, et les pêches
du Midi, jaunes et brûlées, ayant le hâle des filles de
Provence. Les abricots prenaient sur la mousse des tons
d'ambre, ces chaleurs de coucher de soleil qui chauf-
fent la nuque des brunes, à l'endroit où frisent de
petits cheveux. Les cerises, rangées une à une, ressem-
blaient à des lèvres trop étroites de Chinoise qui sou-
riaient : les Montmorency, lèvres trapues de femme
grasse ; les Anglaises, plus allongées et plus graves ; les
guignes, chair commune, noire, meurtrie de baisers ; les
bigarreaux, tachés de blanc et de rose, au rire à la
fois joyeux et fâché. Les pommes, les poires s'empi-
laient, avec des régularités d'architecture, faisant des
pyramides, montrant des rougeurs de seins naissants,
des épaules et des hanches dorées, toute une nudité
discrète, au milieu des brins de fougère ; elles étaient
de peaux différentes, les pommes d'api au berceau, les
rambourg avachies, les calville en robe blanche, les
canada sanguines, les châtaignier couperosées, les rei-
nettes blondes, piquées de rousseur ; puis, les variétés
des poires, la blanquette, l'angleterre, les beurrés, les
messire-jean, les duchesses, trapues, allongées, avec des
cous de cygne ou des épaules apoplectiques, les ventres
jaunes et verts, relevés d'une pointe de carmin. À côté,
les prunes transparentes montraient des douceurs
chlorotiques de vierge ; les reines-claudes, les prunes
de monsieur, étaient pâlies d'une fleur d'innocence ;
les mirabelles s'égrenaient comme les perles d'or d'un
rosaire, oublié dans une boîte avec des bâtons de
vanille. Et les fraises, elles aussi, exhalaient un parfum

frais, un parfum de jeunesse, les petites surtout, celles
qu'on cueille dans les bois, plus encore que les grosses
fraises de jardin, qui sentent la fadeur des arrosoirs.
Les framboises ajoutaient un bouquet à cette odeur
pure. Les groseilles, les cassis, les noisettes, riaient avec
des mines délurées; pendant que des corbeilles de
raisins, des grappes lourdes, chargées d'ivresse, se
pâmaient au bord de l'osier, en laissant retomber leurs
grains roussis par les voluptés trop chaudes du soleil.
La Sarriette vivait là, comme dans un verger, avec des
griseries d'odeurs.

1.

La France du XIIe siècle

Au moment où Chrétien de Troyes écrit *Lancelot*, la France est morcelée en principautés territoriales. Tout l'ouest du pays appartient aux Plantagenêts, plusieurs comtés et duchés de l'est de la France sont indépendants ; ils sont dans la mouvance de la couronne, c'est-à-dire que leurs princes territoriaux sont les vassaux du roi. Le domaine royal à l'époque n'est qu'une petite partie du pays. La Champagne, où Chrétien de Troyes naît et passe une partie de sa vie (à partir de 1173), est un exemple de fiefs très prospères, tant du point de vue de la vie culturelle que de l'économie (foires de Champagne). Dès l'époque de *Lancelot*, la royauté française connaît un renouveau : Philippe Auguste réorganise et centralise le gouvernement en réunissant autour de la couronne presque toute la France. Ainsi l'œuvre de Chrétien de Troyes apparaît-elle comme un vestige du temps des principautés territoriales, où le roi, incarné par Arthur, s'appuyait sur ses vassaux pour gouverner. Outre l'intérêt littéraire, les romans de Chrétien de Troyes sont un témoignage historique des relations humaines et économiques dans une période de transition politique.

2.

Chrétien de Troyes, cet inconnu

S i Chrétien de Troyes ne se mettait pas en scène dans ses prologues, on ne saurait finalement que peu de choses sur cet homme au patronyme mystérieux. Comme son nom le laisse à penser, il a à voir avec la communauté de l'Église. C'est un clerc, un ouvrier copiste du clergé, qui, tel un artisan, a participé à la transmission des œuvres orales et écrites. N'oublions pas qu'au Moyen Âge les clercs sont quasiment les seuls à savoir lire et écrire. Chrétien de Troyes serait né vers 1135, en Champagne, sous le règne de Louis VII, et mort vers 1185, au début du règne de Philippe Auguste. Il n'existe pas de biographie de l'auteur telle qu'on l'entend de nos jours. Le statut de l'écrivain et sa notoriété sont bien différents à l'époque. Pas de prix littéraire pour consacrer une œuvre… mais une reconnaissance néanmoins, celle de ses mécènes. C'est ainsi que l'on sait de lui qu'il a vécu à la cour de Marie de Champagne, en Angleterre, comme cela apparaît dans le prologue du *Chevalier de la Charrette* : « Puisque ma dame de Champagne veut que j'entreprenne la composition d'un roman ».

Dans son premier roman, *Érec et Énide*, dès le neuvième vers, il se présente comme s'appelant « Chrétien de Troyes ». On retrouvera une occurrence du patronyme dans *Yvain*, puis enfin dans l'épilogue de *Lancelot*,

mais avec un autre statut, à travers le relais de Godefroi
de Lagny. Chrétien aurait eu un assistant, un clerc qui
aurait terminé le travail à sa place, avec son accord…

En glanant ici et là, dans les écrits des chroniqueurs,
en étudiant de près le mode de vie à la cour des seigneurs, on peut comprendre comment a vécu Chrétien
de Troyes.

3.

Les hauts lieux du pouvoir culturel

L'authenticité de la vie de Marie de Champagne
(1145-1198) est attestée par les historiens. Elle est
la fille d'Aliénor d'Aquitaine et de Louis VII. Elle a
épousé en 1164 Henri le Libéral (1127-1181), qui était
lui-même comte de Champagne depuis 1152. La cour
de Marie de Champagne est établie à Troyes, ville consi-
dérée à l'époque comme un lieu d'échanges importants, tant sur le plan économique que sur le plan
culturel, car elle est située entre le Nord (les Flandres,
l'Angleterre) et les pays méditerranéens (l'Espagne,
l'Italie…). Cette cour est un lieu de passage que de
nombreux artistes ont fréquenté, notamment Gautier
d'Arras, Gace Brulé, tous deux poètes et chansonniers.

Aliénor d'Aquitaine est elle aussi une figure importante au Moyen Âge, tant du point de vue politique que
culturel, car c'est elle qui va introduire à la cour du
royaume de France puis à la cour anglo-normande la
culture du sud de la France, des pays d'oc (qui parlent
occitan). Elle est la petite-fille de celui qui est considéré
comme le premier troubadour, Guillaume IX d'Aquitaine. De génération en génération, l'amour des arts et

des lettres se transmet dans cette famille puisque certains ont voulu reconnaître en Marie de France, l'auteur des *Lais*, la fille d'Aliénor. Même si ceci reste invérifiable, il n'en reste pas moins que la cour d'Henri II en Grande-Bretagne est un des foyers culturels, artistiques et littéraires les plus brillants du xiie siècle. C'est bien là qu'éclôt la casuistique amoureuse.

Croisades et conquêtes

1066   Guillaume le Conquérant fonde la dynastie anglo-normande.

1099   Première croisade qui s'achève par la prise de Jérusalem et la fondation du royaume franc de Jérusalem.

1147 à 1149   Deuxième croisade qui échoue devant la ville de Damas.

1163   Début de l'«hérésie cathare» : les cathares, répandus dans la région d'Albi, sont considérés comme appartenant à une secte. Leur doctrine préconise une pureté absolue des mœurs en condamnant la matière, incarnation du Mal, et remet en cause l'autorité du pape et les saints sacrements de l'Église. Une véritable croisade, appelée «croisade albigeoise», et une guerre sanglante débutent au xiie siècle pour réprimer ces «infidèles hérétiques»…

L'espace Plantagenêt : une exception politique et culturelle

1108   Tout en restant indépendants, les seigneurs prêtent hommage au roi de France, comme suzerain, il s'appelle alors Louis VI.

1137   Louis VII prend le pouvoir et épouse Aliénor d'Aquitaine. Répudiée par son mari en 1150, celle-ci noue une nouvelle alliance en épousant Henri Plantagenêt, comte d'Anjou et duc de Normandie, mais surtout petit-fils d'Henri 1er, roi d'Angleterre entre 1100 et 1135. Henri Plantagenêt, devenu Henri II, règne sur l'Angleterre de 1154 à 1189. L'« espace Plantagenêt » s'étend des Pyrénées au pays de Galles. Les échanges commerciaux, culturels et politiques ne cessent désormais de se développer. Mais certaines rivalités vont naître...

Guerres entre principautés

1173   Les fils d'Henri II se révoltent contre leur père ; ils s'appellent Jean sans Terre et Richard Cœur de Lion. Au même moment, Louis VII, l'ex-mari d'Aliénor, attaque la Normandie et l'Anjou, fiefs possédés par Henri II. Le royaume d'Henri II Plantagenêt est mis en péril de tous côtés...

1180   Philippe Auguste accède au trône de France et entreprend la lutte contre ses grands vassaux, y compris le roi d'Angleterre, pour imposer son pouvoir. Son règne s'achève en 1223.

1189   Richard Cœur de Lion prend le pouvoir en Angleterre ; c'est l'époque du célèbre Robin des Bois ! Son frère Jean sans Terre régnera en 1199.

4.

La matière romanesque

1. *Un clerc reconverti en trouvère*

Chrétien de Troyes a certainement vécu à la cour d'Angleterre, d'où il a rapporté les mythes et légendes celtes et bretons. Dans *Le Conte du Graal*, son dernier roman, il est au service de Philippe d'Alsace, comte de

Flandre. On suppose qu'il a rencontré celui-ci en 1182 à la cour de Marie de Champagne, puisque Philippe d'Alsace avait demandé la main de celle-ci après le décès du comte de Champagne.

La culture que possède Chrétien de Troyes laisse à penser qu'il est un clerc, reconverti — si l'on peut dire ! — en trouvère. Les trouvères sont des poètes itinérants et jongleurs du nord de la France, en langue d'oïl, par opposition à « troubadour », dans le sud de la France, en langue d'oc. Il connaît bien les poètes latins Virgile (*L'Énéide*) et Ovide (*Les Métamorphoses*), mais aussi la matière de Bretagne, source qu'il utilise abondamment.

Il manie aussi très bien tous les motifs présents dans les contes transmis oralement par les poètes et les jongleurs, ce qui permet d'affirmer qu'il a voyagé ou fréquenté assidûment les cours de grands seigneurs. N'oublions pas que pour divertir les seigneurs dans les cours des châteaux, ou les chevaliers sur les routes des croisades, bardes et conteurs faisaient le récit d'aventures mettant en scène des héros traversant mille dangers : forêts denses et mystérieuses, fleuves et rivières enchantés conduisant dans l'Autre Monde, espace indéterminé et indécis, habité par la magie, animaux fabuleux, géants, fées, etc.

2. *Wace, la source de la légende arthurienne*

Il existe un texte qui a inspiré l'essentiel des héros arthuriens de Chrétien de Troyes. L'ouvrage lui est familier sans qu'il le cite jamais explicitement : le *Brut* de Wace. Il s'agit d'un récit achevé en 1155 et dédié à la reine Aliénor. Wace est un Anglais ayant suivi une formation cléricale en France, mais qui, très tôt, s'est tourné vers une carrière littéraire. Son texte le plus célèbre raconte l'histoire des rois bretons ; c'est le premier écrit en langue française consacré à la légende arthurienne. Il reprend certains motifs qui figuraient dans un récit du pays de Galles, *Historia regum Britanniae*, de Geoffroi de Monmouth : l'arrivée et la conquête de la Grande-Bretagne par un compagnon d'Énée, Brut, jusqu'à la mort du roi Arthur.

Comme Chrétien de Troyes qui dit réécrire des textes anciens, Wace donne au monde de la chevalerie de nouveaux codes, tout en traduisant du latin le récit de Monmouth. C'est le cas, par exemple, de la Table Ronde, qui apparaît pour la première fois, mais aussi des notions de raffinement et de courtoisie que l'on retrouvera dans les romans français. Un peu comme Guillaume le Conquérant, Arthur est présenté comme le vainqueur des Saxons, le chef de l'opposition bretonne.

Ce personnage devient alors un héros mythique : les légendes celtiques du pays de Galles et d'Irlande se fondent avec les exploits guerriers des Bretons contre les Saxons, et la légende d'Arthur commence à se répandre. Chrétien de Troyes, à travers cinq romans, donnera ses lettres de noblesse au roman arthurien.

On suppose que l'époque de sa mort se situe aux alentours de 1185 puisqu'il n'a plus écrit après cette date. Les formes littéraires médiévales continuent d'évoluer après Chrétien de Troyes, mais témoignent de l'influence qu'il a exercée.

5.

Ses œuvres

1. *Érec et Énide (vers 1170)*

Lors d'une chasse au cerf blanc, le chevalier Érec est blessé par un nain. Il apprend dans le village où il a été recueilli par un vavasseur qu'un tournoi est organisé. Il sort vainqueur, gagne un épervier et rencontre Énide, qui, elle, triomphe au concours de beauté. Leur union sera couronnée à la cour du roi Arthur, en grande pompe. Les époux connaissent un parfait bonheur et Érec en oublie son devoir de chevalier, à savoir, la quête d'aventures. Il décide de partir. Accompagné d'Énide qui n'a pas le droit de lui adresser la parole pendant l'aventure, il accomplit une série d'épreuves et de combats tous plus durs les uns que les autres : les brigands, les géants, le comte Gaolain et le comte de Limors, la Joie de la Cour, épreuve la plus périlleuse car Érec accomplit la prouesse de libérer le royaume de Brandigan d'un terrible enchantement, le verger merveilleux. Par amour et dévotion envers son époux, Énide transgresse l'interdiction d'Érec en le prévenant des dangers qu'il court, mais celui-ci lui pardonne. Tous deux reviennent victorieux à la cour d'Arthur, puis prennent la succession du père d'Érec, le roi Lac, et sont couronnés à Nantes. Ce texte se présente comme une « molt bele conjuncture », un conte rapporté mais surtout une œuvre où la marque de l'auteur se fait sentir dans l'entrelacement des motifs, dans l'agencement personnel de la narration. Beaucoup de thèmes sont empruntés à l'univers des légendes celtiques, comme la chasse à l'animal blanc, la captivité d'un chevalier par une fée, etc. D'autres proviennent du *Brut* de Wace, comme le mariage et le couronnement d'Érec et Énide, certainement inspiré de celui d'Arthur. Chrétien de Troyes utilise également la matière antique que l'on trouve dans la trilogie : *Thèbes, Troie,* et *Énéas,* en particulier dans l'art de la description. Cependant, il introduit une notion nouvelle, celle d'idéal chevaleresque : le chevalier fait tout pour se dépasser et prouver à sa dame sa valeur à travers les prouesses qu'il accomplit. Il quitte finalement la Table Ronde pour se lancer dans l'aventure — et l'auteur dans son récit — car l'équilibre initial, la paix du royaume, est menacé.

2. Cligès *(1175)*

C'est un roman original car il n'appartient pas au cycle arthurien. En effet, la matière de Bretagne se trouve associée à la matière antique ; c'est l'histoire d'Alexandre et de son fils Cligès qui voyagent de Byzance jusqu'à Londres, afin de prendre des cours dans l'art d'être chevalier. Chrétien de Troyes, cette fois par souci d'exactitude géographique, a situé la cour d'Arthur à Londres.

La trame essentielle de l'histoire, ce sont les amours de Soredamor et Alexandre, puis celles de Fénice et Cligès. À côté se développent des intrigues secondaires assez complexes qui ont pour thème central la question du pouvoir.

3. Lancelot ou le Chevalier de la Charrette *(entre 1176 et 1181)*

C'est un roman très dense dont l'intrigue repose sur une série de rebondissements. Son inachèvement en fait un récit souvent obscur et énigmatique. Lancelot, l'amant de la reine Guenièvre, est le portrait du parfait héros chevaleresque qui obéit fidèlement à sa dame selon les règles définies par la *fin'amor*, parfois même jusqu'à l'humiliation.

Deux mondes s'opposent : celui du Bien, le royaume d'Arthur, et celui du Mal, le royaume de Gorre sur lequel règne Bademagu. Certains critiques littéraires y ont lu des correspondances avec l'Autre Monde celtique, ou encore le royaume des Enfers de l'Antiquité ; Lancelot serait le double d'Orphée, parti à la recherche de Guenièvre, figure à la fois d'Eurydice et de Perséphone.

4. Le Chevalier au lion *(entre 1176 et 1181)*

Ce roman atteint une forme d'équilibre et peut être perçu comme une œuvre globalisante dans la mesure où tous les motifs de la littérature chevaleresque y figurent. En effet, les combats sont codifiés, le merveilleux est présent à travers des symboles comme la fontaine ou l'anneau, les relations amoureuses qui unissent Yvain à Laudine, mais aussi aux femmes en général, sont à proprement parler de la *fin'amor*. Les valeurs chevaleresques d'honneur, de bravoure, de vaillance, de dépassement de soi, sont bien représentées. Il s'agirait presque d'un roman « classique », où le lecteur n'est pas conduit dans des aventures énigmatiques, où les repères spatio-temporels sont fixes (deux lieux principaux : la cour d'Arthur et la fontaine, le domaine de Laudine). La composition en deux parties est parfaitement équilibrée : de la fontaine merveilleuse jusqu'au mariage, puis à la folie d'Yvain ; de la folie à la réconciliation.

5. Le Conte du Graal *(entre 1181-1185)*

Ce récit resté inachevé introduit un nouveau motif : celui du chevalier élu, à qui l'on a prédit un destin exceptionnel. Son aventure consiste en la recherche d'un objet mythique, le Graal. Selon une version chrétienne, ce pourrait être le vase dans lequel Joseph d'Arimathie aurait recueilli le sang du Christ, et selon une version païenne, un récipient proche du chaudron d'abondance celte. S'il est impossible d'en décider catégoriquement, le Graal n'en reste pas moins l'objet d'une quête jamais assouvie, qui parallèlement conduit le chevalier à se remettre en cause, à accéder à la chevalerie par un accomplissement personnel, dans la pleine connaissance de soi. *Le Conte du Graal* retrace les aventures d'un jeune homme naïf qui ne connaît pas son nom : c'est donc la recherche d'identité qui est le moteur de ses actes. Actes de bravoure, mais aussi erreurs, péché et repentir sont les étapes que traverse Perceval.

On a là une nouvelle image du chevalier courtois, très différente de la figure de Gauvain, par exemple. Gauvain est l'incarnation du chevalier idéal, galant, fort aux armes, généreux… le parfait chevalier. On a vu qu'il était déjà pris de vitesse par Lancelot dans *Le Chevalier de la Charrette*; dans *Le Conte du Graal*, il voit l'objet de la quête passer devant lui sans pouvoir y accéder.

Éléments pour une fiche de lecture

Regarder le tableau

- D'après vous, lequel de ces deux personnages est en position de force. Pourquoi ?
- Regardez le motif brodé sur la manche de la jeune femme. Quel type d'amour ce tableau semble-t-il représenter ?
- Décrivez le cadre végétal. Quel rôle joue-t-il dans la construction de la scène ?

Au nom de la reine

- Pourquoi le mot « Amour » est-il souvent employé dans le texte avec une majuscule ?
- Selon le code de l'amour courtois, « le mérite seul rend digne d'amour ». Comment comprenez-vous cette affirmation, d'après votre lecture du *Chevalier de la Charrette* ?
- Quelle est la première réaction du chevalier après son « coup de foudre » ? Comment peut-on expliquer un tel geste ?
- Quelles qualités particulières la quête de la dame développe-t-elle chez Lancelot ?

- Montrez que Lancelot est totalement envoûté par la beauté de la reine, qu'il est sous l'emprise de l'amour tout au long du roman.
- En quoi le narrateur présente-t-il la dame comme inaccessible ? Que penser de l'attitude de Guenièvre envers Lancelot ? Faites une recherche sur la codification des sentiments amoureux au Moyen Âge pour étoffer la réflexion.
- Pourquoi peut-on dire que Lancelot est un « amant martyr » ? Argumentez à l'aide d'exemples précis extraits du texte.

Le chevalier à l'épreuve

- La première épreuve que doit affronter Lancelot est celle de la charrette. Expliquez pourquoi monter sur la charrette est une action infamante. Pour quelle raison le chevalier sacrifie-t-il son honneur ?
- Commentez la rencontre avec le chevalier du gué. Que pensez-vous de l'effet de la chute grotesque de Lancelot sur son image de chevalier ?
- Le Pont de l'Épée est une épreuve redoutable : détaillez les trois dangers qui attendent celui qui tente de le franchir.
- Relevez les arguments de ceux qui veulent dissuader Lancelot de se lancer dans cette épreuve. Pourquoi Lancelot se sent-il si sûr de lui ? Qu'est-ce qui l'aide à supporter cette épreuve ?
- Comment Lancelot réagit-il à la douleur ? Donnez des exemples.
- Que symbolise le pays de Gorre ? Pourquoi cet endroit est-il marqué par la féerie ?
- Quel rôle joue Méléagant dans l'intrigue ?
- Bademagu tente de convaincre son fils Méléagant

d'apprécier Lancelot à sa juste valeur. Repérez les arguments du roi pour essayer d'éviter le combat. Pour quelles raisons son discours est-il un échec?
- Étudiez le vocabulaire de l'armement au Moyen Âge. Comparez deux récits de combat dans le roman et repérez la figure du héros. En quoi se distingue-t-il de ses adversaires?
- Interprétation de la fin du roman : Lancelot est-il un homme heureux ou malheureux? Justifiez votre point de vue.

Écriture

- Lancelot délivre Guenièvre. Mais elle refuse de lui parler. Imaginez en une dizaine de lignes le dialogue que l'on pourrait insérer dans le roman si la reine n'adoptait pas cette attitude et acceptait de parler à Lancelot.
- Imaginez une nouvelle épreuve pour Lancelot. Son honneur est en jeu. Il s'oppose en duel à un autre chevalier, sous le regard de Guenièvre. Il fait preuve de courage. Vous décrirez la scène de combat et les réactions de la reine. Vous utiliserez le présent de narration pour souligner la vivacité des actions.

Adaptations cinématographiques

La légende arthurienne a inspiré les réalisateurs et de nombreux films évoquent les thèmes présents chez Chrétien de Troyes.
- Faites une recherche filmographique sur l'un des films suivants : *Les Chevaliers de la Table Ronde*, Richard Thorpe, 1954; *Excalibur*, John Boorman, 1981; *Lancelot*, Jerry Zucker, 1995.

- Visionnez le film en entier, ou quelques extraits, puis relevez les éléments respectés ou modifiés par rapport aux textes originaux ainsi qu'à vos connaissances du monde médiéval.

Autour du groupement de textes stylistique

- Chrétien de Troyes, *Lancelot* : Étudiez le passage de l'épreuve du Pont de l'Épée. Montrez que le discours descriptif met en valeur l'héroïsme de Lancelot.
- Chrétien de Troyes, *Perceval* : Relevez tous les éléments du décor qui révèlent la richesse de l'endroit. Montrez que la salle est extrêmement lumineuse. Quelles sont les manifestations du merveilleux dans ce texte ?
- Homère, *L'Iliade* : Recherchez les exagérations dans le texte. Relevez les images (comparaisons, métaphores). Montrez comment les procédés d'écriture rendent compte de la démesure du héros.
- Rabelais, *Gargantua* : Tentez d'établir des paragraphes, des groupes d'idées à partir des thèmes lexicaux. Au-delà du simple effet comique, que peut-on dire de l'intention de l'auteur ?
- Zola, *Le Ventre de Paris* : Étudiez la virtuosité de l'écrivain. Montrez comment les descriptions des fruits sont intimement liées à celle de la marchande. Que pensez-vous de l'intention de l'auteur ? Quelle perception du personnage féminin donne Zola ?
- Complétez ce portrait en énumérant et en exagérant quelques particularités physiques du personnage : «Je m'approchai de l'elfe. Je vis qu'il avait une tête énorme, des cheveux en bataille… »

Collège

DANS LA MÊME COLLECTION

Pour plus d'informations,
consultez le catalogue à l'adresse suivante :
http://www.gallimard.fr